月刊文庫 文蔵 2023.11 目次

※「闇の絵本」は休載いたします。

月刊文庫 文蔵 2023.11 目次

表紙デザイン・管野はるな／本文デザイン・小林美代子

「ルッキズム」

CONTENTS

インタビュー　岡崎琢磨

ブックガイド

美しければ幸せなのか？　醜ければ不幸なのか？

小説の中の外見至上主義

――大矢博子

特集

外見に振り回されていませんか？

小説で考える

「あの人は美人だから」「自分は醜いから」

そんな言葉を耳にすることはありませんか。

「人は見た目が九割」なんて言葉が流行ったりしたように、外見にまつわる悩みやコンプレックスは、多くの人が抱えてしまうもの。

では、古今東西の物語の中で、
その悩みと向き合う術はどう描かれてきたのか。

本特集ではルッキズム（外見至上主義）をテーマにした小説をご紹介していきます。

「身《しん》体《たい》醜《しゅう》形《けい》障《しょう》害《がい》」「相《そう》貌《ぼう》失《しつ》認《にん》」を絡め、
書き上げた渾身の一冊

取材・文＝友清 哲／撮影＝吉田和本

Interview

岡崎琢磨

PROFILE

Okazaki Takuma

1986年、福岡県生まれ。京都大学法学部卒。2012年、第10回『このミステリーがすごい！』大賞の最終選考に残った『珈琲店タレーランの事件簿 また会えたなら、あなたの淹れた珈琲を』でデビュー。13年、同作で第１回京都本大賞受賞、人気シリーズとなる。その他の著書に『下北沢インディーズ ライブハウスの名探偵』『夏を取り戻す』『貴方のために綴る18の物語』『Butterfly World 最後の六日間』など多数。

大御所ミステリー作家、室見響子《むろみきょうこ》の遺稿について、生前の担当編集者が「削除されたエピソードがあると思います」と語り出したのがすべての発端だった――。「珈琲店タレーランの事件簿」シリーズをはじめ、数々の話題作を世に送り出してきた岡崎琢磨《おかざきたくま》さんの最新作『鏡の国』。削除されたエピソードは実在するのか。あるならば、なぜ響子はそのシーンを削除したのか。巧妙に仕掛けが張り巡らされた意欲作の、創作の背景を直撃した。

装丁すら伏線。仕掛けに満ちたエンタテインメント

――大御所作家の遺稿の内容を巡って謎が謎を呼び、驚愕《きょうがく》の真相へと読者を導いてくれるネタバレ厳禁な本作。岡崎さん自ら「構想三年」と公言される渾身《こんしん》作ですが、まずは着想から教えてください。

岡崎　三年と言ってはいますが、依頼をいただいたのはさらに前のことなので、実際にはもっと時間をかけて練り上げた物語なんです。もともとは最後にどんでん返しのある、恋愛を軸にした青春小説を書こうとしていました。ところが、設定を考えていく過程で、実際には存在しない外見上の欠点やささいな欠点にとらわれる「身体醜形障害」や、人の顔が覚えられない症状である「相貌失認」といったテーマが浮上してきたことから、これらふた

つの要素を組み合わせればミステリーとして面白いものが描けるのではないかと閃《ひらめ》いて、途中で方向転換したんです。

――今回の物語にはまさにその、「身体醜形障害」や「相貌失認」に苛《さいな》まれる人物が登場します。いわゆるルッキズムというテーマについては、以前から関心をお持ちだったのでしょうか？

岡崎　そうですね。とくにSNSが発展してからは、見た目に関する誹謗《ひぼう》中傷《ちゅうしょう》などが社会問題化し始めたこともあり、否《いや》が応《おう》でも興味を持つようになりました。前作『Butterfly World 最後の六日間』でもルッキズムを扱っていますが、この時は物語の性質上、あまり掘り下げることができなかったので、あらためてこのテーマと向き合いたいというのが今回のモチベーションのひとつでした。

――岡崎さんがそこまでルッキズムというテーマに惹《ひ》きつけられる理由は何でしょう？

岡崎　難しいですけど、ルッキズムについてはまだまだ議論され尽《つ》くしていない気がしているから、でしょうか。SNSなど目に見える場所で議論されるようになったのはいいことかもしれませんが、どうしても表層的な批判になりがちなので、だったら作品という形で世に自分の考えを表現してみたいと考えました。

というのも、僕自身が中学生の頃ま

でスクールカースト的に恋愛に精を出せるポジションではなく、人知れず卑《ひ》屈《くつ》な想いを抱えていた体験があったからだと思います。言い換えれば、ルッキズム的な価値観にとらわれている社会の中で、恋愛と離れた場所に追いやられて苦しんでいる人たちの気持ちがわかるので、僕にとって決して他人事ではないテーマだったんですよ。

――今回の物語では、そうしたテーマを内包しつつ、仕掛けに満ちた構成が目を引きます。構成面での苦労も多かったのでは？

岡崎　今回、室見響子という作家の遺稿が作中作として展開していきます。僕の中で最初に組み上がったのは実はこの作中作のほうで、そのためかなり早い段階から「鏡の国」というタイトルを考えていたんです。すると担当編集者が、「そういえば『鏡の国のアリス』には削除された挿話《そうわ》があるらしいですよ」と教えてくれたので、ぜひその構図を取り入れようと思い、自ずと二重構造の作品になりました。なので、構成に苦労したという感覚はあまりなくて、むしろ執筆している間はずっと楽しかったですね。

――そして結末も圧巻。ネタバレをしない範囲で言えば、これから本作を読まれる方には、ぜひ読後にあらためて装丁、表紙を眺《なが》めてみてほしい一冊だと感じました。

岡崎　ありがとうございます（笑）。帯に「装丁すら、伏線。」と銘《めい》打《う》たれているので、いろいろ疑いながら見る人も多いと思うのですが、読み終えてからでなければ伝わらない部分が大きいので、この装丁はすごくいい塩梅《あんばい》だと僕も感じています。

世のルッキズム批判に小説家として思うこと

――ところで、世の中的にルッキズム批判が高まっていくことで、小説家として表現が制限されるような窮屈《きゅうくつ》さを感じることはありますか？

岡崎　それはありますね。僕はデビューからずっと一貫して作品至上主義なので、たとえば一部のハリウッド映画のように、世相を鑑《かんが》みてわざわざ配役にいろんな人種を混ぜたりするようなことが、作品的には必ずしもいいことだとは思っていないんです。もちろん、世の中がより良くなるためには、そういう考え方が大切なのは理解していますが、小説家として重視すべきは作品としての必要性です。ルッキズムにしても、作品性を度外視して過剰な配慮を持ち込むのは、違うと思います。

――身体醜形障害に相貌失認。本作ではさらに、顔に火傷の痕《あと》がある女性も登場します。こうした境遇の人物を描く難しさをどう感じていますか。

岡崎　たとえば身体醜形障害について、大人になったいま振り返ってみると、僕自身もそれに近い状態に陥《おちい》っていた時期が高校生の頃にありました。受験勉強をしなければならないのに、毎日一時間くらいずっと鏡を見ながら、容姿についてのコンプレックスを募《つの》らせていて……。あれはちょっと異常だったと思いますし、身体醜形障害の入口くらいに差し掛かっていたのかもしれません。

でも相貌失認や、顔に大きな傷を持つ人の気持ちとなると、まったく実感のない中で想像力を膨《ふく》らませなければならず、これはやはり大変でした。基本的にずっと、当事者の方を無闇に傷つけないよう神経を使っていましたし、一方で作品が必要とするならあえて傷つけるような表現も盛り込まなければならないとも思っていました。その意味で、いかに誠意と覚悟を持って展開を追っていけるかという気持ちは、執筆中ずっと頭の中にありましたね。

――そうしてルッキズムと向き合い続けながら書き上げた今回の作品。前作『Butterfly World 最後の六日間』では描けなかったところも含め、今の想いはいったんすべて出しきることができましたか？

岡崎　そうですね。書こうと思えばまだまだいくらでも書けることはありますが、それでもこの物語でやれることはすべて出しきったのではないでしょうか。というのも、今回はそれぞれ問題を抱えていながらも、わりとルックスに恵まれた側の人たちの話でした。たとえば身体醜形障害にしても、それを表現するために綺麗な女性に設定する必要があったわけですが、少なくともその枠組の中で表現したいことはすべて描けたと思っています。

——では、今後新たに向き合いたいテーマは？

岡崎　ルッキズムとも密接に関わるテーマとして、インセル（※本人が望まずに異性との交際のない人）についてはいつか書いてみたいですね。アメリカでは最近、恋愛弱者と呼ばれる人たちの存在が社会問題になっているそうですし、日本でも恋愛に人生を左右されない〝無敵の人〟と揶揄《やゆ》されるのをよく見かけます。

さらには一時期、インセルに相当する男性に対して「女をあてがえ」という論調がネット上で話題になりました。それに対して不謹慎《ふきんしん》だと怒って批判するのは当然ですが、重要なのは代わりの解決案を提示することだと思うんです。ただ揶揄して終わりでは、世の中は何も変わりませんから、そこで自分なりの答えやアイデアを、物語の形で表現できれば理想的ですね。

——それもまた、興味深いテーマで楽しみです。本日は貴重なお話をありがとうございました。

『鏡の国』
ＰＨＰ研究所
定価:2,200円

＊定価は税10％です。

ブックガイド

美しければ幸せなのか？　醜ければ不幸なのか？

小説の中の外見至上主義

文・大矢博子

ルッキズム（外見至上主義・容貌差別）という言葉は、一九七〇年頃にアメリカで起きた肥満差別解消運動の中で生まれたと言われている。日本では二〇二二年の新語・流行語大賞に選ばれたくらい、まだ日が浅い。

だが言葉があろうがなかろうが、現象は大昔からあった。まずは時代を追って、フィクションの中のルッキズムを見ていこう。

歴史に見るルッキズム

大昔から、というのは昭和や明治の話ではない。飛鳥時代末期から奈良時代初期にかけて成立したと言われる『古事記』に、すでに外見至上のエピソードが登場するのだ。今なら池澤夏樹《いけざわなつき》『古事記　池澤夏樹=個人編集　日本文学全集01』が読みやすい。また、町田康《まちだこう》『口訳　古事記』もファンキーな口語訳で楽しく読める。

神世《かみよ》の時代、石長比売《いわながひめ》と木花之佐久夜毘売《このはなのさくやびめ》の姉妹が天孫《てんそん》・邇邇《にに》芸命《ぎのみこと》に嫁ぐ。ところが邇邇芸命は美人の木花之佐久夜毘売だけを娶《めと》り、石長比売は「醜《みにく》いから」と送り返してしまうのである。石長比売は永遠を、木花之佐久夜毘売は繁栄を誓う女神であったことから、人の寿命が短くなってしまった——という話だ。

天孫、ろくでもねえな!

あるいは、平安時代に書かれた紫式部《むらさきしきぶ》『源氏物語』。美しい姫がいると聞いて光源氏《ひかるげんじ》がその家を訪れ、暗闇の中でコトに及んだ。ところが夜が明けて明るくなってみると、そこにいたのは、長くのっぺりとした鼻の先の方が少し垂れて赤みがかり、顔の下半分が長く、痩せこけた姫だった。光源氏は「胸つぶれぬ(失望した)」と思うのみならず、「何に残りなう見あらはしつら

『口訳　古事記』
町田 康著/講談社
定価:2,640円

『古事記　池澤夏樹=個人編集
日本文学全集01』
池澤夏樹 訳/河出書房新社
定価:2,200円

む」（なんですっかり見ちゃったかなあ、見なきゃよかった）とまで考えるのである。しかも帰宅してから紫の上と一緒に鼻を赤く塗って「こんなふうになっちゃったら困るよねー」と笑い合うのだ。有名な「末摘花《すえつむはな》」の段である。

家柄と顔がいいからって、やっていいことと悪いことがあるだろう光源氏。

まあ、著者も読者も宮中にあがれる家柄ばかりなわけで、特定の時代・特定の身分の「常識」を今あげつらっても仕方ない。むしろそれくらい昔から物語の中で、美は正義として扱われてきたわけだ。

与謝野晶子《よさのあきこ》から角田光代《かくたみつよ》まで錚々《そうそう》たる面々の現代語訳があるが、ここは山崎ナオコーラ**『ミライの源氏物語』**をお薦《すす》めしておこう。当時の社会規範や倫理観を現代視点で読み解いたエッセイである。

江戸時代には醜いが故に殺された少女・累《かさね》の怪談「累ヶ淵《かさねがふち》」や、病《やまい》で顔が崩れたお岩《いわ》の怨念《おんねん》が祟《たた》る「四谷怪談《よつやかいだん》」など、醜い‼恐怖としての怪談が人気だった。前者は奥山景布子《おくやまきょうこ》が**『小説　真**

『小説　真景累ヶ淵』
奥山景布子著／二見書房
定価：1,540円

『ミライの源氏物語』
山崎ナオコーラ著／淡交社
定価：1,760円

景累ヶ淵』として、後者は京極夏彦《きょうごくなつひこ》が『嗤《わら》う伊右衛門』として、それぞれ原作を換骨奪胎《かんこつだったい》した小説にしている。特に『嗤う伊右衛門』では、お岩のもとに現れた謎の男の言葉がいい。「世間の下司《げす》どもがお前様を笑うのは、そのお顔の疵《きず》が醜い所為じゃあ御座居《ござい》ませんぜ」と言うのだ。ではなぜか？　本編でお確かめいただきたい。

人を「見た目で判断することの意味」とは

では現代作家はルッキズムをどう描いているだろう。まだルッキズムという言葉が浸透《しんとう》する前から、「美人」「ブス」の定義を掘り下げた作品を多く書いていたのが姫野《ひめの》カオルコである。その代表的な作品といえば『整形美女』だろう。一九九九年に刊行され、風俗を現代的に修正したのが二〇一五年に発刊された光文社文庫版だ。

　この物語では二人の女性が整形手術を受ける。興味深いのは、絶世の美女である甲斐子《かいこ》がブスに、ブス（というほどでもないと

『整形美女』
姫野カオルコ著／光文社文庫
定価:660円

『嗤う伊右衛門』
京極夏彦著／角川文庫
定価:704円

思うのだが）の阿倍子《あべこ》が美人に変身するのだ。まるで容姿を取り替えたかのような二人の運命やいかに——という話なのだが、なぜ美人がわざわざ容色を損《そこ》なうような手術をするのかという理由がポイント。甲斐子の「計画」には妙な説得力があるとともに、夢の美貌《びぼう》を手に入れた阿倍子のその後にハラハラするぞ。なお、ふたりの名前は聖書のカインとアベルから——と書けばテーマが見えてくる、かな？

　また、姫野カオルコの最新刊『**悪口と幸せ**』も、美人の妹と容姿を比べられる姉の話や、ＳＮＳで露骨《ろこつ》な容姿批評にさらされる芸能一家など、正面からルッキズムの呪縛《じゅばく》に挑んだ連作である。

　男性を主人公にしたものには安部公房《あべこうぼう》『**他人の顔**』がある。事故で顔面にケロイドを負った男が、妻の愛を取り戻すために他人の顔の仮面を作る。「顔」に頼ることの不確かさを通して、顔とは何なのかを考えさせる一冊だ。

　このように、顔立ちがどうこうではなくケガやアザがテーマになる作品も多い。たとえば島本理生《しまもとりお》『**よだかの片思い**』は、左目の下から頬にかけて生まれつきの大きな青アザを持つ女性が主人

『他人の顔』(改版)
安部公房著／新潮文庫
定価：693円

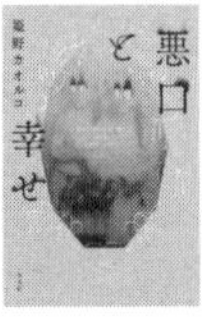

『悪口と幸せ』
姫野カオルコ著／光文社
定価：1,760円

公の恋愛小説である。恋愛からは距離を置き、研究者として物理専攻の大学院に進んだが、ある出会いがあり――。

とても心揺さぶる恋愛小説だ。それは「アザがあるのに」「アザを乗り越えて」という描かれ方をしていないから。アザも彼女の一部だとこの物語は伝えている。終盤に起きるある事故のエピソードを通して、自分を自分として受け入れる大切さが胸に迫ってくる。

新馬場《しんばんば》新《あらた》**『沈没船で眠りたい』**も、顔に傷のある女子大生が主人公。傷のコンプレックスで人を避けていた彼女が美人の友人を持つことで変わっていく。医療技術が発達し、きれいな体に取り替えることができる近未来が舞台だが、取り替えた体は果たし

『よだかの片想い』
島本理生著／集英社文庫
定価：572円

『沈没船で眠りたい』
新馬場 新著／双葉社
定価：1,925円

て自分なのかというアイデンティティを問いかける一冊だ。

近未来ものとして、テッド・チャン**「顔の美醜について」**（『あなたの人生の物語』所収）も挙げておこう。脳への刺激により美醜判断をできなくする装置が開発され、それが是か否かの論争を描いた短編である。

黒《くろ》田《だ》小暑《しょうしょ》**『ぼくはなにいろ』**は、過去に起きたある出来事のせいで自分の体は「こわれた容《い》れ物」だと思っている青年の物語。彼は美しい女性と出会い、少しずつ距離を縮めていく――と書くと「美女と野獣」的なものを想像されるかもしれないが、この女性も美人であるがゆえの悩みとコンプレックスを抱えているのだ。また本書には、イケメンの青年が中学生の恋の橋渡しを務めるというもうひとつの筋がある。終盤には意外な展開も待ち受けており、見た目で判断する、ということの意味がさまざまな方向から検証されるのである。

美しければ幸せなのか

『ぼくはなにいろ』
黒田小暑著／小学館
定価：1,760円

『あなたの人生の物語』
テッド・チャン著／ハヤカワ文庫
定価：1,056円

井上章一《いのうえしょういち》『美人論』を読むと、明治時代、美人であることは悪だったらしい。修身の教科書に「美人は、往往、気驕《おご》り心緩みて、却《かえ》つて、人間高尚の徳を失ふ。（中略）之れに反して、醜女《しこめ》には、従順《じゅうじゅん》・謙遜《けんそん》・勤勉等・種種の才徳生じ易き傾あり」と載っていたというのだ。つまり美人はうぬぼれて堕落《だらく》しやすいが醜女はその分頑張るから醜女の方がいい、という話である。何だそれは。バカにしてるのか。

そこまではいかずとも、美人なら幸せかというと決してそうではないと思わせてくれるのが、綿矢《わたや》りさの短編**「亜美《あみ》ちゃんは美人」**（『かわいそうだね？』所収）だ。人目を引く美人の亜美ちゃんと友達であるがゆえに比べられ、オマケあつかいされてきたさかきちゃん。ところが、美人でモテモテで人気者の亜美ちゃんは、あまりにも愛されすぎて育ったために、本人も気づかない大きな欠落を抱えている。

近藤史恵《こんどうふみえ》**『夜の向こうの蛹《さなぎ》たち』**は、女性三人の物語だ。そのうちふたりは作家で、ともに美人のため編集者から「美人小説家対談をしましょう」などと提案される。それはルッキズムですよ

『夜の向こうの蛹たち』
近藤史恵著／祥伝社
定価：1,650円

『かわいそうだね？』
綿矢りさ著／文春文庫
定価：726円

とたしなめても、「褒《ほ》めてるのに駄目なんですか?」「そんなに美人と言われるのが嫌なら、化粧をするのをやめればいいんじゃないですか?」と返される始末。

うわあ、めちゃくちゃありがちな勘違いだ! おしゃれをするのは自分がそうしたいからであり、人に評価されるためではない。仕事の実績に見た目は一切関係ない。そんな当たり前のことが、実はいまだに通じなかったりするのである。

この物語には「美人」と「そうでもない人」が登場するが、それぞれ世間のルッキズムを利用しようとする。ルッキズムに晒《さら》されて育った経験が彼女たちに何をさせたかが大きな読みどころだ。

インタビューに登場した岡崎琢磨《おかざきたくま》『鏡の国』の作中作には、ここまでの要素がすべて入っている。誰もが認める美人なのに自分は醜いと思い込んでいる醜形恐怖症のヒロインと、顔の傷をアプリで消して映像を配信する女性。ネタバレになるので詳細には書かないが、彼女たちにかかわってくる男性も見た目にからむ問題を抱えている。きれいか醜いかというのは結局主観でしかない。だからこそ厄介《やっかい》なのだが、同時にだからこそ変えることができる

『鏡の国』
岡崎琢磨著/PHP研究所
定価:2,200円

ということが、巧《たく》みな仕掛けの中から浮かびあがるミステリだ。

美しさ、というのを明確に定義づけようとしたのが石田夏穂《いしだかほ》『**黄金比の縁**《えん》』である。自分のせいではない失敗の責任を取らされ、懲罰《ちょうばつ》人事として研究職から人事部に異動になったヒロインは、会社の不利益になる人材を採用することで会社に復讐《ふくしゅう》しようとする。ではどんな人が不利益か——そうして試行錯誤《しこうさくご》した結果、ヒロインは顔の造作にその基準を見出すのである。

見た目以外の要素や能力を一切無視した「顔採用」である。ところが本書ではそれを個人の好悪ではなく数値で示す。人を顔で選別するのはルッキズムの最たるものだが、そこに計測可能な基準を持ち込むという発想が面白い。逆説的に「顔採用」の胡散臭《うさんくさ》さが伝わってくる。

思春期にかけられる「呪い」

ブリジッド・ヤング『**かわいい子ランキング**』は、八年生（中学二年生相当）のクラスで誰が作ったか不明の容姿のランキング

『かわいい子ランキング』
ブリジット・ヤング作／ほるぷ出版
定価：1,650円

『黄金比の縁』
石田夏穂著／集英社
定価：1,650円

が出回る場面から始まる。一位になったのは地味で詩が好きなオタク少女のイヴ。クラスの女王で美貌に自信のあったソフィーは二位。この意外（？）な順位が大騒動になっていく。

いったい誰が何のためにこんなランキングを作ったのかという謎もさることながら、他人の評価がいかにあいまいか、見た目だけの評価がいかに空虚《くうきょ》かというのを伝えてくる。これは児童書に分類されているが、不安定な思春期の子どもたちに大人が何をしてやれるのかも考えさせる一冊だ。

思春期もので忘れてはいけないのが、澤村伊智《さわむらいち》『**うるはしみにくしあなたのともだち**』である。ある高校を舞台に、他人の容姿を自由に変えられるというお呪《まじな》いが生徒たちを追い込んでいくホラーだ。醜い見た目に変えられて自死を選ぶ生徒。他人が醜くなることを密《ひそ》かに望む心情。犯人は「ブス」に違いないという決めつけ。どんな顔になったのか見たがる好奇心。絶望とおぞましさ。美醜とは何かを鋭く突きつけながら、驚愕《きょうがく》の真相へとなだれ込む。ミステリとしても一級品。

思春期の悩みといえば、湊《みなと》かなえ『**カケラ**』がある。世界レベ

『カケラ』
湊 かなえ著／集英社文庫
定価：726円

『うるはしみにくしあなたのともだち』
澤村伊智著／双葉文庫
定価：880円

ルのミスコンテストでの優勝経験を持つ美人整形外科医が、かつての同級生の娘が自殺したという話を聞く。その同級生はひどく太っていたことでクラスメートから嗤われる存在だったのだが……。

美しい整形外科医の無自覚な悪意の描写はさすがの湊かなえ。だが本書のポイントは自死を選んだ少女が、太っているのは確かだが運動もできて人気者で、本人は見た目をまったく気にしていなかったという点だ。そんな少女が何に追い詰められたのか。

また本書で注目していただきたいのは、語り手として登場する父子だ。ともに背が低く、チビという言葉に過《か》剰《じょう》に反応していたことを自《じ》嘲《ちょう》的に語る場面には、男性にもルッキズムの呪いが厳しく降りかかっていることを示している。

と、ここまで原稿の性質上仕方ないとはいえ「ブス」という言葉を使ってきたが、これほどまでに女性のライフゲージを削《そ》ぐ言葉が他にあるだろうか。にもかかわらず、いきなり「きりこは、ぶすである」という衝撃的な一文から始まるのが、西《にし》加《か》奈《な》子《こ》『**きりこについて**』だ。しかも「ぶす」は太字なのである。おいおい。

『きりこについて』
西 加奈子著／角川文庫
定価：572円

きりこは両親から可愛い可愛いと言って育てられ、自分がブスだとはまったく自覚していなかった。しかし自覚の時はやってくる。否定しようのないその現実に打ちのめされたきりこが、どう再生していくかが読みどころ。女性にとって「ブス」は呪《のろ》いの言葉であることは間違いないが、それってそんなに悪いこと？　そもそもブスって何？　いちばん大事なものは何？　と、根本からうっちゃってくる痛快さがある。

さまざまなルッキズム小説を紹介してきたが、千年以上も前から私たちはルッキズムに囚《とら》われてきたわけで、一朝一夕《いっちょういっせき》に解放されるのは難しいかもしれない。けれどこうしてルッキズムを俎《そ》上《じょう》に上げた小説が多く刊行されるようになったのは、明らかに時代の変化を表している。私たちが『古事記』を読んで「天孫、ろくでもねえな！」と感じるように、何年後かにこれらの小説を読んだ読者が「この頃はこんなことが問題になってたの？　ばかばかしい！」とあっけに取られるような時代が来ることを願っている。

おいち不思議がたり

誕生篇　第三回

あさのあつこ

Asano Atsuko

風鈴《ふうりん》の音《ね》（承前）

六間堀《ろっけんぼり》の死体の胸元から、『菱源《ひしげん》』の名の入った鑿《のみ》が出てきた。『菱源』には手下を走らせたが、親方が来る前に、仏《ほとけ》の顔を確かめてもらえないか。

仙五朗《せんごろう》に頼まれ、新吉《しんきち》は強張《こわば》った顔で頷《うなず》いた。「もちろんです」と答えた。

昨夜もろくに寝ていないだろうから、おいちは亭主の身を案じはしたが止めはしなかった。止めても無駄だとわかっていたからだ。止めても新吉は行くだろう。

人一人が死んでいる。仙五朗が忙《せわ》しく動き回っているのなら、殺しの見込みがある、かなりある、わけだ。人が横死《おうし》した場合、それが殺しであってもなくても、身《み》許《もと》を確かめるのがまずは大切なのだと、おいちなりに解《かい》していた。

仙五朗との付き合いも長い。この老獪《ろうかい》な岡《おか》っ引《ぴき》と共にさまざまな事件に関《かか》わり合ってきた日々で、人の死の因《もと》を沈着《ちんちゃく》に丁重《ていちょう》に捜し当てていく肝要《かんよう》さを学んだ。

それは腑分《ふわ》けに似ていると、思う。

人の身体《からだ》の内は謎だらけだ。けれど、その謎を解かなければ病《やまい》には勝てない。焦《あせ》らず、慎重《しんちょう》に、そして、沈着に丁重に謎に分け入る。

とはいえ、おいちはまだ腑分けの場面に立ち会ったことがない。いつか、この目で人の内側を覗《のぞ》きたいとは望んでいる。それはやはり、仙五朗が人の心内の底にあるものを引きずり出したいと望む想《おも》いと、一致するのではないか。

医者と岡っ引の仕事を重ねるなんて、見当違いだろうか。でも、おいちはたまにだが、自分と仙五朗が同じ方向を向いていると感じるときがある。何を知りたいと足《あ》掻《が》くか、何を明かすか、何を望むか。おいちの何かと仙五朗の何かは、まるで違うのに、どこか同じなのだ。

ともかく、おいちはこの〝剃刀《かみそり》の仙《せん》〟と呼ばれ、江戸の破落戸《ごろつき》ややくざ者から蛇《だ》蝎《かつ》の如《ごと》く忌《い》み嫌《きら》われ、かつ、恐れられている岡っ引が好きだった。そして、新吉もまた、〝剃刀の仙〟を好《この》ましく思っている。

「親分には、いろいろと世話になりっぱなしだ。あの人、普段は道ですれ違っても素知《そし》らぬ振りをするくせに、こっちが困ってるときは、何げない風に助けてくれるんだよな。そういうところ、すげえなって、いつも感心しちまう」

と、ほんの数日前に語っていた。しかし、今回、仙五朗の頼みに頷いたのは、好き嫌いの情からではない。仕事仲間が亡くなったかもしれない、殺されたかもしれない。その事実を確かめねばとの一心からだ。

よくわかっている。

「えぇ、六間堀の仏さんて、新吉さんの知り合いなのかい。驚きだねえ」

「まだ、そうと決まったわけじゃないんだろう。人違いだったらいいけどさ」

「知り合いが妙な死に方をするなんてさ。気持ちの置き所がないものねえ。そういえば、もう三年も前になるけど、味噌《みそ》屋のご主人の釣《つ》り仲間がさ、海で溺《おぼ》れ死んだって騒ぎがあったじゃないか。覚えてるかい」

おかみさんたちのおしゃべりを聞きながら、おいちはそっと息を吐《は》いた。

とはいえ、おいちは、すぐに新吉の身を案じるどころではなくなった。

患者がやたら多い。

このところ、十斗《じっと》が往診を一手に引き受けてくれているし、おいちが身重《みおも》になってからは、美代《みよ》が毎日のように手伝いに来てくれるようになった。美代曰《いわ》く「あら、おいちさんのためじゃなく、わたしは自分のために来てるのよ。松庵《しょうあん》先生の許で患者さんの治療に携《たずさ》われる。これ以上ない幸運だわ。明乃《あきの》先生からも、せっかくの機会を無駄にせず、しっかり学んできなさいって言われてるの」。美代は、前々から現《うつつ》の場で患者と接したいと口にしていた。現の患者、現の病、現の治療を我が目で確かめたいのだと。だから、「自分のために来ている」という一言は嘘《うそ》や遠慮ではない。本音《ほんね》だ。でも、その本音の底には、おいちの身を案じる優《やさ》しさが潜《ひそ》んでいる。

十斗と美代のおかげで、昔ほどの忙しさ、慌《あわ》ただしさはなくなった。治療できる

前回までのあらすじ

おいちは、江戸深川の菖蒲《しょうぶ》長屋で医師である父・松庵《しょうあん》の仕事を手伝いながら、医師になるため石渡塾《いしわたじゅく》に通っている。そして飾り職人の新吉《しんきち》と結婚し、子供を宿す。伯母のおうたは、戌《いぬ》の日に帯祝いをすると張り切っている。ある日、夜になっても帰らぬ新吉に、おいちは不安を覚える。そんなおいちの許《もと》に、六間堀《ろっけんぼり》で若い男の死体が見つかったとの報《しら》せが飛び込んでくる。青ざめているところに新吉が帰宅。怒るおいちに対し、帰れないとの言伝《ことづて》を若い職人に頼んだという新吉だったが……。

患者の数も増えた。ありがたいと、おいちは胸の内で呟《つぶや》く。礼の言葉を口にしたら二人とも、とんでもない渋面《じゅうめん》になると察せられるから、胸の内だけにしている。

しかし、今日はこれまでになく忙しかった。ひきつけを起こした子ども、咳《せ》き込みの止まらない赤ん坊、癪《しゃく》に苦しむお内儀《かみ》さん、火傷《やけど》を負《お》った男、かぶれを訴える老女……次々に患者が訪れる。あるいは、患者の許に呼ばれる。馴染《なじ》みの者も初めて訪れた者もいた。

腰を落ち着ける暇《ひま》もない。

「おいち先生、この子、助かりますよね。大丈夫ですよね」

「ええ、もう大丈夫です。ほら、息が整ってきたでしょ。すやすや眠ってる。熱もすぐに下がりますからね。安心していいですよ」

「痛い、痛い。ぴりぴりする。おいちちゃん、辛抱堪《しんぼうたま》らないよ。早く診《み》ておくれよ」

「はいはい。もうちょっとだからね。おもとさん、もう少しだけ待ってて」

「おいちさん、晒《さらし》が足らなくなりそうだけど」

「はい、枕屏風《まくらびょうぶ》の向こうに行李《こうり》があって、その中に新しい物が入ってるから。半分ほど出して、抽斗《ひきだし》に入れておいてもらえる。あ、美代さん、お湯は沸《わ》かしてくれた」

「ええ、さっき、竈《かまど》に鍋《なべ》をかけたから。もうすぐ沸くわ。行李の中ね、わかった。松庵先生、こちらの患者さんの手当てがすみました。後はどうしたらいいですか」

「おお、隣りの部屋で暫《しばら》く休ませてくれ。おい、十郎《じゅうろう》、半刻《はんとき》ほどはじっとしてろ」

「……わかりました。先生、おれ、死んだりしませんよね」

「馬鹿野郎《ばかやろう》。朝から酔っぱらって転《ころ》んだやつが、一人前に生き死にの心配なんてするな。額《ひたい》にたんこぶができてるだけだ。どうってこたぁねえよ。それよりも、もう少し酒を控《ひか》えねえと、いずれはそっちの害に殺《や》られるぞ」

「おーい、おれの番はまだ回って来ねえのかい。いつになったら診てもらえるんだ」

「あなたは、もうちょっと後になります。急を要する患者さんが先ですからね。我慢して。番が回ってきたら呼びますから、おもとさんの横に座っててください。おもとさん、相手してあげてちょうだい」

「ええ、こんな婆《ばあ》さんの相手なんかしてられねえよ。できものが疼《うず》くんだ。早く診てくれよ」

「他人を年寄扱いするんじゃないよ。できものぐらいで騒いじゃって、みっともない」

「そうよ。あんな小さな子が頑張《がんば》ってるんです。先に治療するのは当たり前でしよ。少し、静かに待ってなさい」

泣き声、怒鳴《どな》り声、訴え、願い、血の臭《にお》い、生薬《しょうやく》の香り……様々な音や色や臭いが混ざり合い、おいちを急《せ》かせる。でも、慌てない。落ち着いて、患者と向き合う。病や怪我《けが》と向き合う。大半は馴染みのものだが、まれに、初めて出会うものもある。そうなると、おいちの手には負えない。松庵に任せるしかないのだ。

今日は、おいちを戸惑わせる初顔の病も怪我もなかった。命を懸念《けねん》しなければならない患者もいなかった。やれやれだ。

「おいちさんて、ほんと、すごいわねえ」

美代が息を吐き出す。

患者が引けて、一段落した下午《かご》のことだ。お蔦《つた》たちおかみさん連中が、握り飯と漬物《つけもの》を差し入れてくれたし、往診に出かけていた十斗が、屋台の天婦羅《てんぷら》と稲荷《いなり》ずしをたっぷり買い込んできてもくれた。おかげで思いの外《ほか》、贅沢《ぜいたく》な昼飯にありつけたのだ。

「え、すごいって、何が?」

おいちは首を傾《かし》げる。

「おまえの食べっぷりに決まってるだろう。おれが数えただけでも、握り飯二個に稲荷ずし五つ、天婦羅は……ともかく、すごい数を食ってるぞ」

「もう、父さんったら、一々、数えたりしないでよ。あ、でも美代さん、ごめんなさい。あたし、穴子《あなご》の天婦羅三本も食べちゃった。美代さんの分がなくなった？」

「わたし、穴子より芝蝦《しばえび》の方が好きなの。たんといただいたわよ。あ、だから、私が言いたいのは、おいちさんの食べっぷりじゃなくて……いえ、食べっぷりもさすがにすごいわね。でも、それぐらいにしときなさいな。食べ過ぎはよくないわ。肥《こ》え過ぎると、難産の割合が増えるそうよ。気をつけなくちゃ。はい、もう、お仕舞《しまい》にして」

「う……わかった」

おいちは、稲荷ずしに伸ばしかけた手を引っ込める。

「おいち、えらく未練がましげな顔つきになってるぞ」

十斗が横を向いて、笑った。松庵は遠慮ない笑声《しょうせい》を立てる。一仕事を済ました。よく働いた。菖蒲《しょうぶ》長屋の一間《ひとま》には、そんな、陽気で柔《やわ》らかな気配《けはい》が満ちていた。

「でもね、わたしがすごいと思ったのは食気《くいけ》の方じゃなくて、おいちさん、どんなに忙しくて、患者さんで混み合っていても、当を得た差配《さはい》ができるでしょ。治療の順序だって、患者さんが待つ場所だって、ささっと決められて。その合間《あいま》に薬を用意して、患者さんの相手もして、子どもをあやして、わたし、見ているだけで眩暈《めまい》がしそうだったもの。よくあれだけ動けるし、頭も口も回るなって驚いてしまう。

ほんと、すごいわ」

「うむ。そこは、わたしも常々、感心しているところだ。おいちの差配がなければ、患者は入り乱れ、ごたついて、どうにもならなくなるだろうな」

十斗が真顔《まがお》になり、美代に同意した。

「え、やだ。兄さんも美代さんも急にどうしたの。止《や》めて、止めて、恥ずかしいでしょ。あたしは昔からこの調子でやってきたの。それだけなんだから」

そうだ。松庵と二人、こうやって生きてきた。

患者の中には、苦痛に我を忘れて騒ぐ男も、子を案じるあまり取り乱してしまう母親も、全く辻褄《つじつま》の合わない言動をする老人も、泣くことしかできない幼子《おさなご》もいた。おいちはときに抱き締め、ときに諭《さと》し、ときに一喝《いっかつ》しながら、懸命に接してきたのだ。たくさんのしくじりをやったし、落ち込み、うなだれることも多々あった。己《おのれ》の非力《ひりき》さを嚙《か》み締《し》めたことは数えきれない。それでも、このごろ少し見えるようになった。この患者にはこんな言葉が、こちらの患者にはこういう振る舞いが入り用なのだと見えてきた……気がする。

「おいちは、人に対して勘がいいのさ」

握り飯を手に、松庵が言う。

「人に対しての勘？　何ですか、それは」

美代の目元が少し張り詰めた。

「うーん、上手《うま》く言えんが、今、目の前の患者とどう接したらいいのか。とっさにわかるんだ。そして、わかったことに沿って動ける。それを勘と言い切れるのかどうか、おれには判じられないが、まぁ、いろいろ助かってるのは事実だな」

おいちは父親の横顔を見やる。

父さん、それって、あたしのあの〝力〟に関わってくる？　父さんは、そう思っている？

稀《まれ》にだが、死者の声を聞く。姿を見る。幽霊《ゆうれい》とか妖怪《ようかい》とか、そんなおどろおどろしいものの類《たぐい》ではない。死者はいつも、悲しくて、哀《あわ》れだ。告げねばならない想い、伝えられなかった真実、それを何とか告げたくて、伝えたくて、おいちに縋《すが》ってくる。

おいちさん、お願い。どうかどうか、お願いします。

あたしの〝力〟は、あたしのものだ。それをどう使うかも、あたしが決めることと、あたししか決められないことだ。

そう心に刻《きざ》んでから、長い年月が過ぎた。

「勘かぁ……。それは才なのかしら。それとも努めたら身に付くものなのかしらねえ」

美代が悩ましげなため息を吐《つ》いた。

「いやいや、美代さんは、おいちの真似《まね》などすることはない。美代さんの丁寧《ていねい》な治療やとっさの手当ての確かさは、なかなかのものだ。じっくり学び、自分の血肉にしていく姿勢も貴重《きちょう》だと思うぞ。医者を目指す道は同じでも、全く同じ類の医者になるわけじゃなかろう。それぞれの性質《たち》や資質に合わせて、自分にしかなれない医者を目指せばいいのさ」

松庵の言葉に、おいちと美代は顔を見合わせた。どちらからともなく、微笑《ほほえ》む。美代の頰《ほお》が仄《ほの》かに紅《あか》い。おいちも微《かす》かな頰の火照《ほて》りを感じた。

おいちは医者になりたい。一人前の医者になり、女人《にょにん》のための療養所を作りたい。まだ、誰にも、父にも兄にも亭主にも打ち明けたことのない望みだった。いつか、美代となら語れる日がくるかもしれない。おいちはおいちの、美代は美代の望みを本気で語り合えるときがくるかもしれない。遠くに瞬《またた》く夢ではなくて、懸命に励んだその先に指先が届く現としての望みを、互いに打ち明け、語り合うのだ。

気持ちが昂《たかぶ》る。浮かれるわけではないけれど、心が弾《はず》む。

「あっ、父さん、駄目《だめ》っ」

「えっ、何だ？　何が駄目だって」

「その穴子の天婦羅、残しておいて。新吉さんの好物なの。帰ってきたら、食べさせてあげたいのよ。あの人、朝も昼も碌《ろく》に食べてないんじゃないかしら」

天婦羅の串《くし》に伸ばしかけていた手を引っ込め、松庵は眉《まゆ》を寄せた。

「おまえなあ、自分は散々《さんざん》、食っといて、父親の分を亭主に回すって料簡《りょうけん》はないだろうが」

「父さん、このごろ肥えてきたでしょ。お腹なんか、あたしより出てるんじゃない？　そんなんじゃ、伯母《おば》さんをからかえないわよ。だから、後はお漬物ぐらいにしといてよ。はい、天婦羅、貰《もら》いっと」

「おいち、ますますしっかり……いや、ちゃっかりしてきたな。おれじゃ、とうてい太刀打《たちう》ちできないじゃないか。困ったもんだ」

松庵のしかめっ面《つら》がおかしくて、おいちは噴き出してしまった。美代も十斗も笑っている。

「そういえば、新吉はまだ帰ってこないんだな。ずい分と刻が経《た》っているが……」

「ええ、多分、親方と一緒に『菱源』にいるんだと思うわ」

亡くなった男が『菱源』の職人だったとすれば、やるべきこと、やらねばならないことが出てくる。年のいった親方に代わり、新吉が動いているとは容易に察せられた。もしかしたら、明るいうちには戻れないかもしれない。

「そうか。あいつも、何かと大変だ」

「大丈夫ですよ、松庵先生。江戸でも屈指《くっし》のちゃっかり者の女房が付いてるんだ。多少の苦労は、難なく乗り越えられるんじゃないですか」

十斗が珍《めずら》しく、冗談《じょうだん》を口にする。しかし、その表情をすぐに引き締め、膝《ひざ》を前に進めた。

「先生、お尋《たず》ねがあるのですが、よろしいですか」

「うむ。患者のことか」

「はい。おもとさんです。本人はかぶれを訴えていましたが、先生はかぶれだとは、はっきり仰《おっしゃ》いませんでしたよね」

「ああ、あれは何かにかぶれたものじゃない。本人がそう思い込んでいるだけだ。腰のあたりに帯状に発疹《ほっしん》が現れていただろう。虫刺されのような小さな水ぶくれだ。かぶれでは、ああいう発疹の出方はしない」

「では、何なのですか。何という病になります」

「わからん」

「わからない……」

「うむ。よく似た症状の患者を何人も診たことがある。発疹の出る場所は様々だが、同じように帯状にあらわれるんだ。大抵は、水ぶくれの後に瘡蓋《かさぶた》ができて……そうだな、十日から二十日ほどで治癒《ちゆ》する」

おいちにも覚えがあった。年寄りの患者に多い病だ。

「患者さん、発疹が現れるちょっと前に痛みを訴えることが多い気がするけど……。おもとさんも、あばらの間がずっと痛かったって言ってたわ」

「うん。発疹もそのあたりに出ていたな。おもとさんは元気だったが、中には酷《ひど》い頭風《ずふう》を訴える患者もいるし、高い熱が出る者もいる」

「命が危《あや》うくなるような病ではないんですね」

十斗がさらに問いを重ねてくる。

「いや、そうとも言い切れん。身体が弱っていたり、かなり年を取っていたりすると、発疹が治らず、眠れも食べられもしなくて、そのまま衰《おとろ》えていく例もあるんだ。うーん、どうも正体《しょうたい》が摑《つか》めない厄介《やっかい》なやつでなあ」

「おもとさんには、どんなお薬を出されたんですか」

美代が身を乗り出してきた。

「一薬草《いちやくそう》の煎《せん》じ薬をだしておいた。後は、枇杷《びわ》の葉の煮汁《にじる》を濾《こ》して発疹にそっと塗《ぬ》る。今のところ、それくらいしか手立てがない。おもとさんの場合、身体がしゃんとしているから、大事にはならんだろうが、明日、また、往診に回ってみなきゃならんな」

おもとは薬を胸に押し抱《いだ》くようにして、帰って行った。その姿が思い起こされて、おいちは吐息《といき》を漏《も》らしていた。

この世には、正体の知れぬ病が跋扈《ばっこ》している。いつ、人を襲《おそ》うのか、人に取り付くのか、人を死に追いやるのか見当がつかない。見当がついたとしても戦う術《すべ》はあまりに少ない。おいちは、ときどき、素手《すで》で虎《とら》や熊《くま》に立ち向かっている心地《ここち》にすらなる。虎も熊も本物に出くわしたことはないけれど。

「病は手強《てごわ》い。怪我も手強い。医者を長くやっていると、人の儚《はかな》さや脆《もろ》さを思い知ることが度々《たびたび》ある。けどな、だからといって怯《ひる》んでいてもしかたあるまい。おれたちは医者だ。敵に背を向けて逃げ出すことは許されんのだからな」

おいちの心内を覗いたかのような、松庵の台詞《せりふ》だった。

「それに、おれたちだって為《な》す術もなく縮《ちぢ》こまっているわけじゃないさ。それなりに、腕を磨《みが》き、前に進んでいる。例《たと》えば、新吉の作ったメスだ」

松庵が百味簞笥《ひゃくみだんす》に向けて、顎《あご》をしゃくった。その上に木箱が置いてある。

「メス？　メスって、あの尖刃《せんじん》のことですか？　新吉さんが作ったって、どういうこと？」

お美代が首を傾げる。十斗が頷いた。

「そうだ、美代さんはまだ、あれを見ていないんだな」

「そうね。じゃあ、お披露目《ひろめ》しなくちゃいけないわね」

おいちは起《た》ち上がり、木箱を摑む。とたん、背筋に悪寒《おかん》が走った。冷え切った手で背をすっと撫《な》でられたようだ。震《ふる》えが走る。

「うん？　おいち、どうかしたのか」

「……わからない。でも嫌《いや》な……嫌というより剣呑《けんのん》な気配《けはい》がするの」

その気配に巻き込まれそうな気がする。

「おい、その剣呑な気配っていうのは何なんだ」

「わからない、わからないけど感じて」

おいちが最後まで言い終わらないうちに、腰高障子《こしだかしょうじ》の戸が横に滑《すべ》った。

「ごめんよ。おいち、いるかい」

夕暮れの風と共に、おうたが入ってくる。

「おやまあ、みなさんお揃《そろ》いですか。あら、美代さんまで、おいでとはねえ。まぁ、ほんと申し訳ないですよ。おいちの身体を気遣《きづか》って手伝いに来てくださってるんでしょ」

「あ、いえ、そういうわけではなくて、わたしが松庵先生の許で学ばせていただきたくて、半分押しかけているみたいなものなんです」

美代が曖昧《あいまい》な笑顔になる。

「まあ、いいんですよ。そんな遠慮しなくても。本当のことを言ったって構わないんですから。それにしても、こんな、むさくるしい所でごめんなさいよ。しかも、主《あるじ》は部屋よりずっとむさくるしいでしょ。どうやったら、ここまでむさくるしくなれるんですかねえ。かえって、感心しちゃいますよ。でも、ほんと、申し訳なくて身が縮みます」

「義姉《ねえ》さんが縮んでいるようには見えませんがね。むしろ、さらに膨《ふく》れてませんか」

「はぁ、松庵さん、それ、どういう意味です」

「いやいや、見たまんまの意味ですよ。ははは」

軽く笑ってから、松庵はおいちの耳元で囁《ささや》いた。

「なるほど、義姉さんなら誰より剣呑だな」

おいちは、唇《くちびる》を嚙んだ。

違う。伯母さんを剣呑と感じるわけがない。多少は面倒《めんどう》だとは思うかもしれないけれど。

背中にそっと手を回してみる。

悪寒は綺麗《きれい》に消えていた。震えてもいない。しかし、ここに確かに感じたのだ。

あれは、何だろう……。

「伯母さん、今日は何の用事？　お祝いの話ならまだ、してないけど」

気を取り直して、おうたに尋ねる。

「そんなことだろうと、思ったよ。こっちは着々と用意をしてるってのに、おまえときたら。せっかくの大切なお祝いなんだよ。もう少し、しゃんしゃんしなさいよ。おや、稲荷ずしじゃないか。表の屋台のだね。美味《おい》しそうだこと。おいち、あたしにもお茶をおくれ」

履《は》き物を脱《ぬ》ぐと、おうたは座敷に座り、稲荷ずしを頬張った。

「義姉さん、また肥えますからほどほどに。で、祝いとは何の祝いです？」

「いえね、松庵さんはあんまり関わりないかもしれないけどさ」

と前置きして、おうたは腹帯の祝いについて滔《とう》々《とう》と語った。

「そういうわけだから、十斗さんも美代さんもぜひぜひ、お出《い》でくださいね。松庵さんは、来なくてもかまわないからね。あたしは気にしないからさ」

「こっちは気になりますよ。義姉さん、わたしを弾《はじ》き出そうって魂胆《こんたん》ですね」

「ええ、弾き出せるなら海の向こうにでも弾き出したいよ。あ、そうだ、仙五朗親分さんにも、ぜひお出でを願いたいねえ。おいち、親分さんは……」

「え？　親分さん？　ここにはいないわよ。今朝《けさ》、ちらっと覗いたけど、それっきりで……。わっ、伯母さん、どうしたのよ。そんなに近づいてこないでよ」

おうたは稲荷ずしを持ったまま、おいちに身を寄せてきたのだ。

「今朝のちらっというのは、何かい。今、騒ぎになってる六間堀の殺しの件でかい?」

「ま、まあそうだけど、まだ殺しって決まったわけじゃないでしょ」

「何を言ってんだい。『菱源』の職人が六間堀で殺されたって、今、噂《うわさ》になってるじゃないか。それを聞いたときは、あたし、飛び上がってしまったよ。よもや新吉がって震えたね。けど、よくよく話を聞いてみたら、どうも新吉じゃない風で、ほっと胸を撫で下ろしたわけさ。だってねえ、もうすぐ、ややこが産まれてくるってのに、父親が殺されたなんてあまりに験《げん》が悪いじゃないか」

「験が悪いって話じゃすまないわよ。それこそ縁起《えんぎ》の悪いこと言わないで。でも、伯母さん、よく『菱源』の職人さん云々《うんぬん》のことまで耳に入ってきたわね」

「ふふん。あたしの耳は地獄耳《じごくみみ》さ。大抵のことは引っ掛かってくるんだよ。その職人、柳の下に血だらけで倒れてたそうじゃないか。滅多《めった》刺《ざ》しにされて、さ。ずんぐりした四十絡《がら》みの男なんだろ。額《ひたい》に鑿が突き刺さっていたって聞いたよ。見つけたのは早出の大工《だいく》の棟梁《とうりょう》で、肝《きも》は十分に据《す》わっていたはずなのに、男の怨《うら》みの表情があまりにすごくて、一目見たとたん、その場で気を失っちまったって話さ」

「え……そうなの。いや、親分さんの話とはかなり違うような……」

「違うのかい? だったら、どのへんが違うんだい?」

おうたがぐいぐい、押してくる。潰《つぶ》されそうだ。

「ははあ、わかりました。義姉さん、六間堀の件の真相を確かめたくてうずうずしたわけですな。それで、我慢できなくて、ここまでやってきた。上手《うま》いこと親分さんに逢《あ》えるかもしれないし、新吉がいれば何かと聞き出せるかもしれない。そういう下心ですか」

松庵が手を叩《たた》いた。おうたの豊頬《ほうきよう》が赤く染《そ》まる。

「な、何を言ってるんです。変な言い掛かりをつけないでもらいたいね。あたしは、噂が噂だけに新吉のことが気になったんじゃないか。心配してやったんだよ。それで、まあ、えっと……どんな風か確かめに来たのさ。殺されたのが新吉でないなら、まあ、一安心さ」

「仏さんは、ずんぐりした四十絡みの男だったわけでしょうが。新吉でないのは、わかりきったことじゃありませんかな」

「噂なんて当てにならないんだよ。ずんぐりした四十絡みの男のはずが、実は若い細身《ほそみ》の男だったってことも無きにしも非《あら》ずなんだからね。むさくるしい大狸《おおだぬき》が捕《つか》まったと聞いて見物に行ったら、松庵さんが檻《おり》に入ってたなんてことは、まま、あるだろうけどね」

「何ですか、その喩《たと》えは。義姉さんこそ、店の前に立っていたら張りぼての大達磨《おおだるま》だと間違われますからね。ご用心を」

十斗が俯《うつむ》いて、肩を震わせた。笑いを堪《こら》えているのだ。伯母と父のやりとりは確かにおもしろくはあるけれど、十斗のように笑えない。このまま放っておいたら、延々と続くのだ。

おいちは立ち上がり、腰に手を当てた。

「もう、二人ともうるさい。いい加減にして。伯母さん、ともかく、親分さんも新吉さんもいないの。『菱源』の職人さんが亡くなったっていうのは、本当かもしれないけど、後のことは何にもわかりません。新吉さんがいつ帰ってくるのかも、親分さんがうちに尋ねてくるのかも、わかりません。たぶんこないと思うわ。それでなくても忙しいのに、事件が起こっちゃったんだから。当分、お顔を見せないかも……うん？　何よ、美代さん」

美代がおいちの袂《たもと》を引っ張り、戸口を指差す。

「だから、何を……きゃっ、親分さん」

「おいちさん、すいやせん。訪ねてきちまいました」

仙五朗が苦笑《にがわら》いを浮かべたまま、頭を下げる。

「あらぁ、親分さん。いらっしゃい。やっぱり、お出ででしたね。ささっ、どうぞどうぞ、むさくるしいとこですが上《あ》がってくださいな」

「いや、お内儀さん、あっしは上がり框《かまち》で十分でやす。すぐに失礼しやすから」

「そんなこと言わないで、ゆっくりしてくださいな。で、で、どうなんです。滅多刺しにされて殺された男ってのは、本当に『菱源』の職人だったんですか」

「滅多刺しじゃありやせんよ。傷は喉《のど》に一つだけでやした」

「喉に。え？　絞殺《こうさつ》されてたんですか」

おうたが自分の喉元に手をやる。

「違《ちげ》えやす。綺麗に切り裂《さ》かれてやした。あれじゃ、やられた方は自分に何が起こったかわからないまま、あの世に行っちまったんじゃねえかと思いやすよ」

「それは、素人《しろうと》の仕事じゃないというわけか」

松庵が口を挟《はさ》む。仙五朗が頷いた。

「へえ、少なくとも、何かの弾《はず》みに行きずりの者と喧嘩《けんか》になって、そいつに殺《や》られた。そんな見込みは薄い気がしやす。それでね、お邪魔《じゃま》したのは、先生に仏さんの傷を見てもらえねえかと思いやしてね。何で出来た傷なのか、ちょいと迷ってんでやすよ」

迷っている？　これまで、何十、いや何百という死体と接し、あらゆる傷や殺し方、殺され方を目の当《ま》たり《あ》にしてきた岡っ引が迷っている？

どういうことだろう。

おいちは首を傾げた。松庵が身軽く立ち上がる。

「わかった。これから同行しよう。それにしても、親分。もうじき夕暮れ時だぞ。仏さんは朝、みつかったんだろう。呼びに来るのが遅いんじゃないか」

「へえ、それはこっちの手落ちでやした。まずは身許を確かめてからと悠長《ゆうちょう》に構えていたら、先生、えらく忙しくなって声を掛ける間がなくなりやした」

仙五朗も上がり框から腰を上げる。

そうなのだ。この岡っ引は患者がいるときは、決して声を掛けてこない。どんなに切羽詰《せつぱつ》まっていても、松庵が治療をしているときは遠ざかっている。どんな死体の謎を解くより、生きている者の命を守る方が何倍も大切だと、心得《こころえ》ているのだ。

「松庵さん、何なら、あたしがついて行ってあげようか」

「どうして、義姉さんのお供《とも》が入り用なんです。おとなしく待っててください。あ、いや、おとなしく帰ってくれていいですよ」

「まっ、憎たらしい」

おうたが頰を膨らませて、横を向いた。

「親分さん、あの、新吉さんは……」

「へえ、それが申し訳ねえが、まだ帰れそうにありやせん。今は『菱源』にいるはずでやす。いろいろと、厄介なことになっちまったんでねえ」

「わかりました。後で着替えを届けるようにします。でも……やはり亡くなったのは、正助《しょうすけ》さんて職人さんだったんですね」

仙五朗の口元が僅《わず》かに歪《ゆが》んだ。

「それが、どうも、はっきりしねえんで」

「はっきりしないって、新吉さんも親方さんも、仏さまを確かめたのでしょ。お顔が酷《ひど》く傷つけられていたってわけでもないんですよね」

「顔に傷はありやせんでした。けど、おかしなことに、親方は『うちの職人の正助だ』と明言したんでやすが、新吉のやつが同意しねえんで。『正助によく似てはいるけれど、違う気がする』と、ね。あっしも、わけがわからなくて些《いささ》か戸惑ってやす」

同じ死体を見ながら、親方は正助だと言い、新吉は違うと言う。そんなことがあるだろうか。

「ああ、それと、鑿と一緒にこれが仏の胸元から出てきやした」

仙五朗が袂から小さな包みを取り出し、中の物を摘《つ》まみ上げた。

「まあ、風鈴《ふうりん》」

美代が呟く。ビードロの小さな風鈴だった。

チーン。風に舌《した》が揺れて、涼《すず》やかな音が響《ひび》いた。


〈つづく〉

世界はきみが思うより

第三回　木曜日のサンデー（前編）

寺地はるな
Terachi Haruna

後ろ足で地面を蹴《け》って腕を前後に大きく振ると、しぜんと胸が開く。着地する瞬間に踵《かかと》に走る痛みに顔をゆがませつつまた蹴る。ランニングシューズの底がアスファルトを擦《す》る音に合わせて、息を吐く。

信号は赤。今って何時？　走っていると、思考がぶつ切りになる。

通りの向こうで犬が吠《ほ》えている。

お弁当それだけ？　と問う同僚の声。

震えていた、あの子のまつ毛。

走り続けているうちにそのぶつ切りの思考さえも消滅して、感覚だけがわたしを支配する。痛い。痛い。痛い。痛いのが好きなわけじゃない。でも痛みはわたしに教えてくれる。内臓の在《あ》りかを。骨の在りかを。心の在りかを。川沿いの歩道がわたしの毎朝のランニングコースだ。川と十字に交差する私鉄の高架《こうか》が見えたら、折り返し地点。そろそろ特急電車が通過する頃合いだった。特急は野百合《のゆりし》市駅には止まらない。存在ごとすっとばされてしまうような街だ。

川沿いの歩道には古い住宅が並ぶ。川に対抗しているかのように、どこまでもどこまでも家の列が伸びている。それぞれの家から、さまざまな香りがたちのぼる。だしの香り。ベーコンの脂《あぶら》がとけていく香り。生まれ育った家には朝食をつくる習慣がなかった。台所に袋入りのロールパンとかスティックパンが置いてあって、両親と兄とわたしと妹がめいめい自分の好きなものを取って食べるというシステムになっていた。高校卒業と同時に家を出てからはあまり連絡を取り合わない。でも、仲が悪いというわけではない。

ひとり暮らしの部屋で、わたしは自分のための朝食を用意する。朝のメニューはだいたい決まっているからそんなに時間はかからない。ゆでたまごとブロッコリーと低糖質のパン。カロリー計算が済んでいるメニューだから楽だ。朝食の用意と同時進行でお弁当をつくる。

ひと駅だけ電車に乗るのはもったいないから、雨でも雪でも歩いて通勤する。同僚の元木《もとき》さんは「ちゃんと交通費が支給されてるのに、なんで電車に乗らないの?」と呆《あき》れた顔をする。彼女は勘違いをしている。せっかくカロリーを消費できるチャンスなのに、歩かないなんてもったいない。ひと駅だけのために電車を待つ時間がもったいない。

怠惰《たいだ》は人を太らせる。怠惰は罪深い。

わたしの両親は太っていた。アルバムを見れば、父は結婚する以前から太っていたことがわかる。母は子どもをひとり産むごとに、その重量を増していった。妹は小学生の頃からずっとLサイズの服を着ている。兄はサッカーをやっているあいだは痩《や》せていたけど、やめたらどんどん太り出した。よほど気をつけないと、わたしもすぐにそうなってしまう。

わたしの職場は、多くの人から「国際交流プラザ」と呼ばれている。でも正式名称はもっと長い。わたしたちはただの「プラザ」と呼んでいる。留学生や外国人労働者の相談窓口で職業や住居を斡旋《あっせん》したり、日本語教室を運営したりしている。中途採用されてから、今年で三年目になる。プラザに来る前は英会話教室の受付をしていた。

風が吹いて、プラザの玄関口に植えられたイペの木が葉を揺《ゆ》らす。イペはブラジルの国花で、春にはあざやかな黄色の花を咲かせる。中庭の池には蓮《はす》の花、植えこみにはパンジーやゼラニウムの姿もある。それらはいずれもどこかの国の国花だ。先代の館長が「訪れた人が故国《ここく》の花を見て心慰《こころなぐさ》められるように」と植えたらしいが、知るかぎり、これらの花を眺《なが》めて楽しむ人はほとんどいない。すくなくともわたし以外には。

　中庭の空気は、アラビアンジャスミンの強い香りでむせ返りそうに濃い。五枚の白い花びらを持つ花が連なるさまをスマートフォンで撮影していると、ジャスミンがわたしの名を呼びながら近づいてきた。

「なにしてる」

　たどたどしいアクセントの日本語で、わたしに話しかけてくる。くっきりした二重の目にミルクチョコレートのようななめらかな肌を持つジャスミンは、先月日本に来たばかりだ。すこし前からプラザの日本語教室に通うようになった。まだ二十歳だという彼女はときどき自分よりずっと成熟した女性のようにも見え、子どものようにも見える。でも、何歳に見えようが彼女が美しいということに変わりはない。

「写真を撮ってたの」

　スマートフォンの画面を見せてあげる。あなたの花だね、と英語で言うと、片手でつかめそうなほど小さな顔がぱっとほころんだ。花が咲くように笑う、という比《ひ》喩《ゆ》がぴったりだ。

「ケイ、花、好き、ね？」

彼女がはじめてプラザの窓口にやってきた時、対応したのがわたしだった。名札には「けい」と、下の名前をひらがなで表記してある。「外国の人にも呼びやすい名前をつけよう」などという意識は両親にはこれっぽっちもなかったようだが、結果的にそうなった。わたしはジャスミンが聞き取りやすいように、大きく口を開けて、ゆっくりと日本語で答える。

「わたしは、きれいなものなら、なんでも好き」

だからあなたの顔も好き。それは、声に出さずに言う。背はわたしと同じぐらいなのに腰の位置が高いからすごく長身に見えるところも、痩せているところも、うらやましくてたまらない。わたしとジャスミンの頭上を、蝶《ちょう》がつっきるように飛んでいく。青い模様を持つその蝶をわたしはカメラにおさめたかったけれども、動きがはやすぎて無理だった。

「お弁当、それだけ？」

元木さんは、毎日、同じことを言う。隣の席から覗《のぞ》きこんでくる首の角度も、だいたい同じだ。

「そう」

「その量で、夜まで持つ？」

わたしは自分のお弁当箱を見下ろして「小さく見えるけど深いから、量はしっかりある」とこれまでに何度も説明してきたことを、辛抱強く繰《く》り返《かえ》した。ひじきともち麦の炊《た》き込みごはんに、おかずはブロッコリーと蒸し鶏をごまだれで和えたもの。それから、根菜のピクルス。

「そうかなあ。でも桂《けい》ちゃんって、毎日ちゃんとお弁当つくっててえらいよね」

炊き込みご飯は週末に多めに炊いて、百グラムずつ冷凍したのを朝レンジに入れるだけだ。ピクルスも常備菜として、まとめてつくる。むやみに糖質を抜くのはよくないから、ちゃんと計算して一日に必要な量を食べている。

「えらくないよ、それに元木さんもつくってきてるやん、お弁当」

「いやいや、あたしのはほぼ冷凍食品のつめあわせだから」

冷凍食品のからあげとエビグラタン。たまごやきはマヨネーズを入れるとふんわり仕上がるのだと、とっておきの秘訣《ひけつ》のように教えてくれた。ほぼ油なんだから、入れて焼いたらふんわりするのはあたりまえだ。やってみるね、と頷《うなず》いたが、嘘《うそ》をついたやましさが残る。うちの冷蔵庫にはマヨネーズがない。

そもそも、わたしはあまりたまごやきをつくらない。母のたまごやきには砂糖がたっぷり入っていた。同じ卵をたべるのなら、ゆでたほうがいい。油をつかわなくて済む。

きれいなものなら、なんでも好き。子どもの頃からそうだった。だから花が好きだった。バービーが好きだった。鏡に映った自分は嫌いだった。「ボディ・ポジティブ」という概念は、わたしの少女時代にはまだ存在しなかった。ありのままの自分の体型や肌色を愛そう、受け入れよう、と言われたとしても、あの頃のわたしは救われなかったと思う。だって「ボディ・ポジティブ」は現在のわたしのことも救ってくれないから。

元木さんはものすごく太っているというわけではない。でも決して痩せてはいない。わたしのお弁当箱よりずっと大きいお弁当箱にたまごやきや唐揚《からあ》げを詰めてきて、十時や三時の休憩時間にはお菓子《かし》を食べる。彼女が自分の体型に満足しているというなら、なにも言うことはない。わたしは元木さんをきれいだと感じたことはないけど、本人が幸せならそれでいい。すべての女性が痩せるべきだとは思っていないから。すべての女性が、美を追求すべきだとは考えていないから。でも自分自身のことになると話は違ってくる。わたしはわたしが気に入っている体型のわたしでいたい。どれほど多様な美の価値観が新たに生まれようとも、わたしが考えるきれいなわたしを目指したい。

わたしはきれいなものが好き。だから、道枝綱《みちえだこう》くんに惹《ひ》かれた。未成年の男の子に「惹かれた」という言葉を使うべきではないのだが、そうとしか言いようがない。でも恋愛感情も性的な関心も一切なかったと誓《ちか》える。ただただ、きれいなもの、として、彼を認識した。

　プラザでは「国際交流フェス」というイベントを年に二度、春と秋に開く。会場は市内でいちばん大きな公園だ。わたしは「民族衣装を着てみよう」のブースにいた。ちいさな子ども用の衣装も用意していて、毎回行列ができる大人気のブースだった。

　道枝綱くんは母親らしき女性と妹らしき女の子と連れ立って歩いていた。ちょうど客足が途切れたタイミングで、ブースの前を通りかかった。いかがですか、とわたしのほうから声をかけた。妹のほうに、だ。とてもきれいな女の子で、すごく目立っていたから。

　でも彼女は不愉快《ふゆかい》そうにそっぽを向いて「こう、あんたがやれば？」と言い捨てて、歩き去ってしまった。母親が慌《あわ》ててそのあとを追っていって、わたしはいたたまれなさに下を向いた。

「すみません。妹は今ちょっと疲れてて、機嫌《きげん》悪くて」

　ひとり残った道枝くんはすまなそうに、頭を下げた。

「いいんですよ。気にしないでください」

続けて、「こう」くんって言うんですか？　と訊ねたのは、兄と同じ名前だったからだ。こう。「こういち」でも「こうた」でもなく、ただの「こう」。兄は「香」と書く。

「そうです」

それから、すこし話をした。大阪に引っ越してきたばかりだと言っていた。

「そのプラザって、ぼくも遊びに行ってもいいんですか？」

「もちろん、だいじょうぶです」

四月から高校生になるという男の子がプラザに興味を持ってくれて、わたしは嬉しかった。たいていの人は、プラザを「日本人には関係ない」特殊な場所だと思い込み過ぎている。

白いドレスを選んだのは道枝くん本人だ。わたしがすすめたわけではない。道枝くんがおずおずと「女性用のでも、いいですか？」と訊ねた時、わたしはなんと答えたのだったか。そう、「もちろん、だいじょうぶですよ」だ。白いドレスはフィリピンの「テルノ」と呼ばれる衣装で、生地がパイナップルの繊維でできている。袖が大きくふくらんでいるのが特徴で、広めに開いたデコルテを金糸の刺繍《ししゅう》が縁《ふち》取《ど》る。道枝くんは小柄《こがら》な少年だったから、サイズ的にも問題はなかった。胸にはすこしつめものをする必要があったけれども。

ドレスを渡して着替え用のテントに消えた道枝くんは最初、なかなか姿を現そうとしなかった。首だけ出して「やっぱこれ、変じゃないですか？」と、すこし泣きそうになっていた。似合ってます、すごくいいですよ、と繰り返して、ようやく出てきてくれた。

「ちょっと、メイクもしてみる？　そのほうが映《は》えると思う」

道枝くんはすこし迷ってから、小さく頷いた。わたしは自分のメイクポーチを出して、道枝くんの眉《まゆ》を描き、唇にピンクのグロスをのせた。道枝くんはずっと目を閉じていた。びっくりするほど長い睫毛《まつげ》が、かすかに震え続けていた。化粧映えする顔だと思ったけど、期待以上の仕上がりだった。すてきすてき、ほんとうにかわいいですよ、と百回ぐらい言った気がする。その時、道枝くんの妹さんたちが戻ってきた。

道枝くんは、彼女たちに向かって微笑《ほほえ》みかけた。その横顔があまりにも美しくて、残しておきたくて、こっそりカメラを向けてしまったのだった。

先週、道枝くんがプラザに来た。わたしはびっくりして、「ほんとうに遊びに来てくれたんですね」と声をかけたが、道枝くんはわたしと目を合わせようとしなかった。

「どうしたの？　なにかあった？」

「おれの画像、ＳＮＳにのせましたよね」

なんのことだかわからなかった。わたしはいくつかのＳＮＳのアカウントを持っているけど投稿せずに他人のを眺めるだけだ。道枝くんの画像を勝手に載せるようなことをするわけがない。そう説明したけど、道枝くんはわたしが嘘をついていると思っただろう。かたちのよい眉をきゅっとひそめた。

「でも、撮ったのはあなたですよね」

道枝くんの連れの男の子が一歩進み出て言った。そう、道枝くんはひとりでやってきたわけではなかった。

連れの男の子の名前はわからないけど、まじめそうな、地味な感じの子だった。同級生だという彼は、道枝くんにかかわって、クラスの女子が道枝くんの画像を持っていて、それをクラスの子全員が見たことや、その女子が画像についてわたしのＳＮＳに載っていたと話していたことなどを説明した。

「その子って、まさか」

「高木《たかぎ》さんです。高木みつきさん」

名を聞いて、血の気が引いた。みつきは、たしかにわたしのいとこだ。「あ」と呟《つぶや》いたけど、そのあとの言葉は続かなかった。

「お願いです。消してください」

おれの画像、消してください。道枝くんが頭を下げた。

「勝手に撮ったことは謝ります、でもね」

いやなんです。道枝くんが震える声でわたしの言葉を遮《さえぎ》った。あなたがおれの画像を持ってることが、どうしてもいやなんです、と。同級生の男の子は道枝くんが話しているあいだじゅう、わたしのことを睨《にら》んでいた。ふだんはきっと他人を問い詰めたりしない子なんだろう。強い眼差しにも口調にも時折自信のなさがのぞいた。

「わかった、消します。ほんとうにごめんなさい」

目の前でスマートフォンを操作するあいだも「でも、わたしはほんとうにSNSとかやってないんですよ」と言い訳するあいだも、彼はずっとわたしから目を逸《そ》らさなかった。

去り際、道枝くんは同級生の男の子の腕に触れ「ありがとう、とうま」と言った。男の子はもういっぽうの手を伸ばして、自分の腕に置かれた道枝くんの手を、二度軽く叩いた。そのいたわりに満ちた動作のあとに続いた「ええよ」というやさしげな声が、鼓膜《こまく》にはりついたように長く耳に残った。

みつきはわたしのスマートフォンから道枝くんの画像を盗《ぬす》んだ。祖母の三回忌《さんかいき》に盗んだのだろう、とすぐにわかった。

法事、葬式、結婚式。親戚があつまるイベントには、いつだってうんざりさせられる。誰がどこの学校に入ったの、結婚したの、出世したの、そんな話ばかりだ。香くんとこは子どもつくらんの？　桂ちゃんはいい人おらんの？　ランチセットのドリンクみたいに「気悪《きいわる》うせんといてな」とか「今はこういうの訊《き》いたらあかんのよね」とかというような言葉を添えれば、なにを言っても許されると思っている。

うるさい親戚たちから遠ざかって、こっそりスマートフォンを開いた。ハンカチの縁取りのレース。本に挟んだ金のしおり。ブラウスの下に身につけた、ピンクオパールのネックレス。きれいなものは、ささくれた心に塗り広げるクリームだ。そんなふうにしてやっと、わたしはひびわれることなく、血を流すことなく生きていける。

その時手元にあったいちばんきれいなものが、道枝くんの画像だった。

「なにしてるの、桂ちゃん」

背後から声をかけられて、飛び上がりそうになった。いつのまにか高校生になったばかりのいとこ、みつきがわたしの肩越しにスマートフォンを覗きこんでいたからだ。「なんでもないよ」とスマートフォンを伏せる。

「ねえさっきの画像、もっと見せて」

「え、ごめん。なんでもないから。ごめんごめん」

みつきは不満そうにしながらも、「ふうん」と頷いて、離れていった。いとことはいえ、みつきと親しい間柄ではない。それこそ親戚のあつまりで会うぐらいだ。わたしはあのあとお腹が痛くなってきて、しばらくトイレにこもった。みつきはきっとそのあいだにわたしのバッグからスマートフォンをとって、勝手に画像を見て、自分のスマートフォンに送るかなにかしたのだろう。

道枝くんが来た日の晩にみつきに電話した。道枝くんの名を出すなり、彼女は大きな声を上げて泣き出した。おおむねわたしの予想通りだった。背後から覗き見た画面にクラスメイトの道枝くんらしき男の子の姿があり、どうしても気になったからじっくり見て確かめるために自分のスマートフォンに送った。でもどれほど眺めても確証は持てなくて、道枝くん本人に確認した、とのことだった。

「桂ちゃん、わたし道枝くんに嫌われたかもしれない」

みつきはクラスのみんなに、あの画像を見せたのだという。どこでそれを見つけたのかと友人のひとりに訊かれて「いとこのSNSに載っていた」と嘘をついたらしい。そう言わなければ、盗んだことを告白しなければならなくなるから。

「なんで、そんなことしたん？」

仲良くなりたかった、といとこは言った。道枝くんが「ほんとうの自分」をみんなに見せられないのならそれはとてもさびしいことだと思ったたし、「ほんとうの道枝くん」を否定するような人はこの学校にはいないと知ってほしかった。それがいとこの言い分だった。

「道枝くんはそのことをみんなに知られたくないかもしれないとか、そういうふうには考えへんかった?」

「だってあれ、人がいっぱいいる公園のあのイベントで、みんながいるとこで着てたんやろ、そんな、秘密にしたいようなこととは思わへんやんか」

高校生って、こんなに幼かっただろうか。わたしは自分が十代だった頃を思い出そうとしてみたけど、うまくいかなかった。十年も経っていないのに、遠い昔の話みたいだ。でも、もとはと言えばわたしが悪いのだ。本人の許可も得ずに勝手に撮影したのはまぎれもない事実で、だからそれ以上みつきを責めることができなかった。ドレスを着た道枝くんがほんとうにきれいで、ただ自分で持っておくためだけならいいだろうと、本人に確認もせずにカメラを向けた。そんなに悪いことだろうか。

悪いにきまってるだろう。事実から目を背けることは悪意をもって行動を起こすのと同じぐらい卑《いや》しい。

わたしは最低なことをした、最低の人間だ。取り返しがつかない。

帰宅したら、まっさきにお弁当箱と箸《はし》を洗う。指でこすったらきゅっきゅっと音が鳴るまで、ていねいに磨き上げる。それから服にブラシをかけて、お風呂に入って、出る前に浴槽《よくそう》や床《ゆか》を掃除する。一度床や椅子に座ってしまったら二度と立ち上がれなくなるような気がするから、ぜんぶ一気にやってしまう。髪を乾かしていたら、スマートフォンが短く鳴った。マッチングアプリで知り合った男性からの連絡だった。

明日、よろしくお願いします！　楽しみにしてます。

わたしは明日、水田《みずた》さんという男性と食事をする約束をしている。まだ一度も会ったことはないけど、顔は見たことがある。「顔も知らない相手と会うのは不安でしょう」と、こちらが求める前に自分の画像を送ってくれた。かたそうな感じの人だった。まじめそう、という意味ではない。骨が太くて、頭のてっぺんの毛が逆立っていた。すべてのパーツが「かたそう」。

はい。明日、よろしくお願いします。

楽しみにしている、とは書かなかった。
翌朝は結局ブラウスにパンツという、いつものスタイルで出勤した。水田さんとの食事はべつにわたしにとっては楽しみな予定というわけではないから、おしゃれをしようという気がおこらない。

水田さんは去年まで東京に住んでいたという。転勤で大阪に来た。でも東京と言っても郊外ですよと、わたしの知らない地名を挙げた。土地勘《とちかん》がなく、あまりこのあたりのお店を知らないらしい水田さんにかわって、わたしがベトナム料理の店を選んだ。

さきにお店に着いたという水田さんから「入り口から二番目に近いテーブルにいます。グレーのTシャツを着てます」というメッセージが届いた。どうしてだか、このまま知らんぷりして引き返したいような気分になる。よく知らない男の人と食事なんかしたくない。こわい。部屋に帰ってひとりになりたい。でもだめだ。どうしても、わたしは水田さんと会わなければならない。

足を引きずるようにして、店に向かう。ようやくたどりついて、重たいドアを押す。

画像よりも若く見える男の人が、わたしが入ってくるなりぱっと立ち上がった。水田さんはわたしと同い年だと聞いていたけど、画像では十歳ぐらい上に見えた。どうしてあんなうつりの悪い画像を送ってきたのだろう。外見というものに無頓《むとん》着《ちゃく》な人なのだろうか。それとも、あえての作戦だろうか。実物のほうが素敵ですね、と相手に言わせるための。グレーのTシャツにはへんなロゴが入っている。

「水田です」

「桂です」

名字は教えていない。水田さんからも訊かれなかった。

生春巻きと牛肉のフォーとえびのカレー。つぎつぎにテーブルに運ばれてくる。水田さんは不器用そうな外見とは裏腹に大きな手で器用に箸をつかい、グラスはテーブルにそっと音を立てずに置き、なにを食べても「おいしい」と、驚いたように細い目を見開いたり、ふわりと目尻を下げたりする。こういう男の人は、きっとみんなに好かれるだろう。わたし以外の、みんなに。

辛い料理でひりひりする舌を鎮《しず》めるようにビールを飲みながら、お互いの仕事のことや、関東と関西の言葉や習慣の違いについて話した。水田さんは自分のことばかり喋《しゃべ》るわけでもないし、わたしに質問し過ぎることもなかった。「ぼく、最初、上司とごはん食べてる時に『しゅんでる』って言われても意味がわからなくて、何度も訊き直したんですね」などと言って、わたしを笑わせる。

「あとから知りました。味がよくしみてる、って意味なんですよね」

「そうです。わたしは言わないけど」

「でも、なんか響きがかわいいですよね。しゅんでる、って」

「そうですか？」

「しゅんでる」という言葉の響きをかわいいと感じる水田さんは、わたしを今日はじめて見て、いったいどう思ったんだろう。

「あの、質問してもいいですか」

思ったより飲み過ぎたようで、舌の先がもつれた。水田さんが箸を置いて「はい」と姿勢を正す。そんなにちゃんとしてくれなくていいのに。そんなにちゃんと、向き合おうとしてくれなくていいのに、わたしなんかに。

「きれいなもの」への憧《あこが》れとか欲望とか妬《ねた》ましさとか、そんなものをぐっちゃんぐっちゃんに混ぜ合わせて、発酵《はっこう》させて、それが身体の中でぱんぱんに膨《ふく》らんでいるんです。わたしの心は押しつぶされて、息をするのもやっと。

勝手な行為で、ひとりの男の子を傷つけました。

あなたと会った理由は、罰《ばつ》です。自分への罰。わたしは、ほんとうは男の人が好きじゃないんです。だってちっともきれいじゃないから。大きくて、ごつごつしてて、ざらざらしてて。でもわたしは最低の人間だから、罰を受けなきゃいけないと思ったんです。

「水田さんはわたしに自撮りを送ってとか、そういうことを一度も要求しませんでしたね。自分の画像は送ってくれたのに」

「そうですね」

「見たいとは思いませんでしたか？　相手の女性が自分の好みの外見じゃなかったら、がっかりするでしょう？」

　水田さんは「うーん、どうでしょうね」と腕を組む。

「もしかして、女性の外見にはこだわらない、とか？」

　ここで「そうです」と言われたら、すぐさま席を立とうと思った。そんなの、嘘に決まっている。わたしはきれいなものが好きだけど、きれいごとは嫌い。水田さんは、首を横に振る。

「もちろん好みのタイプというのはありますけど。あ、桂さんはきれいな人だと思います」

　社交辞令も、箸の使いかたと同じぐらいじょうずだ。

「ていうか、そもそもこわくないんですか？　顔も知らない人と会うの。ね、水田さんってあのアプリで何人ぐらいと会ったんですか？　いつか睡眠薬を盛られて、現金を抜き取られるかもしれませんよ」

　わたしはグラスに残っていたビールを飲み干す。

「なるほど、それはこわい。考えてもみませんでした」

熱い。頰《ほお》が、首筋が、喉《のど》の奥が熱い。

「考えてもみなかったんですか。そうか、男性ですもんね。特権ってやつか」

「ええ、そうかもしれません」

　まじめな顔で頷く水田さんは、きっと「なんやねんめんどっくさい女やな」とでも思っているのだろう。いや、東京の人はそんな言いかたはしないのか。「おいなんだよ、めんどくせえ女だな」とか？

「ねえ、もしわたしが水田さんの画像を勝手にＳＮＳに投稿したら、どう思います？」

　わたしはいったい、なにを言ってるんだろう。なにがしたいんだろう。水田さんに、なんと答えてほしいんだろう。

「それは……」

　そう呟《つぶや》いたきり絶句した水田さんの顔が二重にぶれて、わたしは机に突っ伏した。そのあとの記憶は、断片しか残っていない。


〈つづく〉

桜風堂夢ものがたり2　第四回　プロローグ

優しい怪異（後編）

村山早紀
Murayama Saki

何かとても幸せな夢を見たような気がして、月原一整《つきはらいっせい》は目が覚めた。

桜風堂《おうふうどう》書店の離れにある彼の部屋には、障子《しょうじ》越しに早朝の白い光が射し込んでいて、布団の中でまばたきを繰り返した彼は、てのひらで顔をこすり、枕元に置いたはずの眼鏡を探した。

（――何の夢だったかなあ）

昨夜はほとんど寝ずに、カフェスペースの開業の準備をしていた。夜明け頃に疲れ果てて部屋に帰ってきて、ここのところ部屋の隅に畳《たた》んだままにしていた布団をなんとか敷いて、倒れるように身を横たえたのは覚えている。庭から響く虫の声が心地よく、お疲れ様、お疲れ様、と優しく子守歌を歌ってくれているように聞こえた。

　いまはその声はなく、入れ替わりのように蟬の合唱と、野鳥たちのさえずりが、辺りに響き渡っている。

「みんな元気で良いなあ……」

　それにくらべて最近の自分は、と苦笑して、あれ、と眼鏡をかけて、身を起こした。

　からだが軽い。

「──なんだ、これ？」

　つい数時間前までは、肉体の疲れと何よりもいよいよ明後日に迫った開店への不安で、胃は痛いし目の下にはくまだし、死人のように疲れ果てていたはずなのに。

　いまの一整のからだは妙に軽くて、腕なんか回せばいくらでも回るし、重かったはずの首も肩もそんなの気のせいだったというように、ふわりと軽かった。

「──そんなに長く寝たわけでもないのにな」

　首をかしげながら回していると、障子の下の方の、猫の出入りのために障子紙を貼らずに開けてある一角から、三毛猫のアリスが顔を出した。

　鼻歌でもうたうように楽しげな表情でやって来たのに、起きてしまった一整と目が合うと、残念そうな顔をして髭《ひげ》を下げた。

彼女は寝ている一整を起こすのが一日の始まりの楽しみらしいので、がっかりしたのだろう、と一整は笑った。

「ごめんね、アリス、おはよう」

おはよう、の一言を口にしたとき、一整の脳裏《のうり》にちらりと、夢の欠片《かけら》のその情景がよぎった。


そこは明るい台所だった。ベランダへの扉が開いていて、小学生くらいの女の子が、こちらに背を向け、ご機嫌な感じで鼻歌をうたっている。ベランダいっぱいに花が咲き、緑が茂っている。女の子はそれに如雨露《じょうろ》で水をあげているのだ。

夏の日差しを浴びて、その輪郭《りんかく》は淡くぼやけている。ふりまかれた水の欠片は、虹のようにプリズムを作り、輝く。

夢の中の一整は、眩《まぶ》しさに目をしばたたかせる。光に包まれた朝の情景は、ずっと昔の、失われた子どもの頃の、団地の部屋での朝に似ていた。大好きな家族がいて、一緒に暮らしていた頃の、幸福だった朝の情景だ。

ふと、その子が一整の視線に気がついたように振り返り、笑っていった。

『おはよう』

夢の中の一整は、とても幸せな気分で、

「おはよう」

と答えて、その子の方へと足を運んだ。明るい光が射す方へと向かって。

幻のように蘇《よみがえ》った夢の中の記憶は、すぐに遠ざかり、消えてしまう。

一整は夢の名残《なごり》を追いたいような気分になりながら、朝の柔らかな光の中にいた。

夢の中のそれよりも、優しく静かな光の中で、布団の膝の上のあたりにはアリスが飛び乗ってきて、穏やかな表情で喉を鳴らした。

一整はその艶《つや》のあるあたたかな背中を撫でてやりながら、ふと、思いだした。

自分は、あの夢の女の子を知っている。

「——ああ、あの子だ」

優しい怪異——初夏から夏にかけて何度か見かけた、気がつくとそばにいた、あの笑顔の女の子だった、と思った。

そしてあの子が誰に似ていると思っていたのか、今朝は答えにすぐに思い当たり、ふっとおかしくなって笑った。

卯佐美苑絵《うさみそのえ》に似ているのだ。たとえば彼女の子ども時代は、あんな感じだったのかも知れない、と思う。

奥の壁に貼ったままになっている『四月の魚《ポワソンダブリル》』のポスターを見上げた。

「——今日、店に来てくれるって言っていたから、連想して夢に見たんだろう、きっと」

仕方がないなあ、と自分を笑いながら、一整は弾みをつけて起き上がり(膝のうえにいたアリスはころころと畳に転がって、文句をいった)、てきぱきと布団を片付けた。

顔に触れる。無精髭《ぶしょうひげ》が伸びている。

「温泉に入りに行く時間、あるかなあ」

少しは身ぎれいにしておきたかった。

久しぶりの再会が、自分でも意外なほどに嬉しくて、まるで十代の少年のようで、いっそかわいいとさえ思えて笑えた。

「俺なんかに好かれていても、卯佐美さんは喜ばないだろう」

肩をすくめ、自分にいいきかせるように言葉にした。

何の取り柄《とりえ》も財産もなく、社交的でもなく、性格が明るくもない。その上、賭けのような山里の書店経営にこの先の人生を定めた一整だ。自分が苑絵なら、嬉しくないどころか気を悪くするかも知れない。

それでも苑絵は優しい娘だから、一整に訪れた不運に同情して（おそらくはそういうことだろう）、店の他の仲間たちとともに、何かと手を貸してくれている。今日などは、カフェの開店の準備のために、わざわざこの山里まで来てくれるという。ありがたいことだと思った。

急な運命の変遷《へんせん》に自分がついていけなかったこともあって、気がつくと一整は苑絵の思いやりや善意に流されるままに甘えてきたような気がする。

「『四月の魚』を推すときに、あんなに素晴らしいポスターまで描いて貰ったのに、気がつけば、ろくなお礼もしていないじゃないか」

自分の情けなさ、いたらなさに深いため息が出た。――きっとこれが、いとこの蓬野純也《よもぎのじゅんや》なら、とっくの昔に心を込めたお礼を済ませ、あれがどれほど嬉しくありがたいことだったか、気持ちを伝えているだろう。いまもポスターを自分の部屋に飾っている、それくらい気に入っているのだと、さらりと伝えているだろう。

「今日なんかも、ほんとうは遠慮するべきだったんだろうけどなあ」

彼女がひとりで来てくれると、銀河堂書店の店長から知らせがあったとき、つい嬉しくて、お待ちしています、と答えてしまった。

「――自重《じちょう》すべきだったよなあ」

ここしばらくの陰鬱《いんうつ》な気分と前途への不安で、精神的に弱っていたのだなと思う。

窓を開け、夏の朝のひやりとする空気を部屋の中に入れながら、一整は庭の木々の間に見える輝く空を見あげる。

「――せめて、何かお礼の品を用意しておこうかな。何か……卯佐美さんが喜んでくれそうな物を。ずいぶん遅くなったけど」

文房具店の毬乃《まりの》に知恵を借りれば、なんとかなりそうだ。彼女は何しろ芸術家でセンスが良いし、この町のことに詳しい。素敵なものを見繕《みつくろ》ってくれないだろうか。

「俺はそういうことに疎《うと》いから」

本のことしか知らず、本の世界でしか生きてこなかった。活字には多少詳しいかも知れないけれど、世の中のことはたいして知らず、女性が喜びそうなものに見当もつかない。

「――というか、もっと早く思いつけば良かった」

彼女が町に着くのは今日の午後。せめて一日早く思いついていれば。

こんなとき、やはり蓬野純也ならば、急にお礼の品をと思いついたとしても、軽々とあの品この品と脳裏に思い浮かべ、即座に手配するのだろうなと思うと、心底、自分が情けなかった。

「いやそれは、あのひとは売れっ子の作家で、大学の先生でもあるんだから、こんな俺とくらべるのは間違いだとわかってるけどさ」

でも、たとえば苑絵だって、蓬野から好意を持たれれば嬉しいだろう、とつい思ってしまう。

「あのふたりなら、釣り合うよな」

一整からすると、苑絵はいっそ浮世離れして思えるほどに可憐《かれん》で愛らしく、育ちも良いお金持ちのお嬢様で、自分とは違う世界に生きているように思えることが多かった。銀河堂書店で新卒の彼女が入社してきたときからずっとそうだ。

彼女は自分の担当の仕事、絵本と児童書への熱意や知識のレベルが高かった。一整の亡き母が子どもの本を好きで集めていたこともあって、一整もそのジャンルには思い入れがあったから、自分の持つ知識の上を行く苑絵が気になり、素直に尊敬してもいた。同じ店に勤めていた頃は、ふと気がつけば目で追っていた。

小さいけれど良く通る声が目立つからなのか、不思議と苑絵のいるあたりには、光が射すように見えた。店がどんなに混んでいるときでもだ。彼女の担当の児童書の棚と一整が担当していた文庫の棚が隣り合っていたこともあり、そうたぶん最初はそれがきっかけで、ふわふわと店内を移動する苑絵が目についたのだと思う。

——それと、苑絵が何かとつまずいたり滑ったり物を取り落としそうになったりしていたので、「あっ」という彼女の声がすると、振り返る癖《くせ》がついてしまった。

（たぶん、父さんの教えのせいでもあったんだよな）

早くに死に別れた父に、いつもいわれていた。

『誰かが困っていたら、優しく助けてあげるんだぞ。誰も手をさしのべるひとがいなくても、ひとりでも、迷わずおまえが手をさしのべるんだ。それが、ひととして立派な、かっこいい生き方なんだからな』

特に女の子には優しくしてあげなさい、とよくいわれていた。

『頭が良い人間にならなくて良い、金持ちにならなくても良い、そんなことよりも、いざというとき、迷わず誰かにさしのべる手を持つ、そんな人間になってほしいんだ。父さんも、そんな人間になりたいって、長年修行中なんだよ』

がっしりしたからだつきの、大男である父が笑ってそういうと、説得力があったのを覚えている。普段着の正義の味方がそこにいるように見えて。

いまどきの考え方だと、特に女の子には、のくだりはジェンダー的視点からいうとどうだろう、とつい思ってしまうけれど、転びかける苑絵を見れば、いつだって手をさしのべたかった。一整にはそれが自然だった。

といっても、特に用もなかったし、苑絵も積極的に話しかけてくる娘ではなかったので、助けおこしたその後には短くお礼をいわれるだけ、互いに仕事に戻るだけで、親しく会話することもなかった。それがあの頃の日常で、思い返すとなんだか懐かしかった。

「あの頃はいつもそばにいたんだなあ」

月に一度、日曜日の絵本のコーナーで苑絵が子どもたちに読み聞かせをする、その声を、仕事しながら、聴くともなく聞いているのが好きだった。

どこかで、亡くなった母もこんな風に自分と姉に絵本を読み聞かせしてくれていたのかな、と思うこともあったからかも知れない。

優しい、春の風が吹きすぎるような声だった。野鳥が楽しげにさえずるときの声にも似ていたかも知れない。

でももうあの日常は終わったのだ。彼女とはもう同じ場所で働くこともなく、やがて、ささやかな縁も切れてしまうのだろうと思った。

一整は小さく笑う。

そばにいられなくなれば、彼女が転びそうになったときに手を差し出すことはできなくなる。それだけが寂しいし、密かに心配でもあった。

けれど彼女のまわりには、幼い頃からの親友である三神渚砂《みかみなぎさ》や、たくさんの店の仲間たちがいる。家族仲もとても良いという。一整の手が消えたとしても、きっと誰かが助けてくれると、そう思い、願うしかなかった。

振り返ればささやかで幸せだった日々の記念のために、彼女に贈り物をしよう。あの日々を彩《いろど》ってくれた、優しく愛らしい同僚のために。

(俺はあの街へはもう帰らない。いつか卯佐美さんとは会えなくなる日が来て、彼女は俺のことを忘れてしまうだろう。忘れてくれても良いから、これが最後の贈り物になっても良いように、何か素敵なものを贈れると良いなあ)

いつか未来に誰が贈ってくれたものか忘れてしまっても良いのだ。彼女の気が滅《め》入《い》ったり寂しくなったりしたときに、そっとそばにあって、心慰めてくれるような物を贈れたら。一整はもう苑絵のそばにはいられないのだから。


桜野町観光ホテル——通称観光ホテルと呼ばれているらしいそのホテルは、木造の静かなたたずまいのクラシックホテルで、町を見下ろす小高い丘の上にある。

その日の午後、タクシーでホテルに降り立ち、玄関ホールに一歩足を踏み入れたときから、その場所が気に入っていたのだけれど、荷物を運んでくれるベルボーイに誘《いざな》われて階段を上り、二階の客室に入った途端、苑絵は、

(ここで一生暮らしてもいい)

と思ったほどの美しい部屋に恋に落ちた。

「素敵なお部屋でしょう?」

母が得意気に軽く胸を張る。

「ママね、若い頃このホテルに泊まったとき、一生ここで暮らしてもいいと思ったものよ」

苑絵はくすくすと笑った。同じことを考える辺り、やはり母子なのだった。

茉莉也はいつも機嫌が良いひとだったけれど、今日の彼女は特別ににこにこしていた。ホテルにチェックインするときに、老いた支配人が待っていてくれて、

「お帰りなさいませ、光森《みつもり》様」

と、笑顔で挨拶してくれたからだった。

光森は、結婚前の母の名字にして、アイドル時代の芸名の名字で、それを覚えていて、記憶してくれ、出迎えてくれたことを、母はとても喜んでいた。

「さすが一流のホテルは違うわ」

何度もそういっていた。母が喜んでいることと、その言葉を聴くのが嬉しいらしく、ベルボーイも母がそういうたびに、ありがとうございます、と柔和《にゅうわ》な笑みを浮かべて頭を下げていた。

戦前からここにあり、戦火も免れたまま歴史を紡《つむ》いできたというこのホテルは、壁紙も家具も何もかもが華やかで麗《うるわ》しく、かつ落ち着いていた。

エアコンがかすかな音を立て、静かな冷気を送っていたけれど、

「日が落ちましたら、消していただいても充分涼しいと皆様おっしゃいます」

と若いベルボーイは微笑んだ。「窓を開ければ、天然のエアコンからの風も入りますし。少々虫の声がうるさいかもしれませんが。朝には鳥のさえずりもよく聞こえます。この町はなにぶん山の中にありまして、当館は緑の波の中にあるような、そんなホテルですから」

窓から見下ろし、見回すと、絵本の中の情景のような緑に包まれた夏の風景の中に、青い空を映して輝く川の流れが見えた。その両岸に続く街路樹の列があり、その先に可愛らしい建物が並ぶ商店街と——桜風堂書店の姿が見えた。

見えたと思った途端、苑絵の胸は弾むように鼓動《こどう》をひとつ大きく打った。まだ一度しか足を運んでいないのに、とても懐かしい場所に思えた。今日、これからあの場所に向かうのだと思うと、背に羽がはえたように嬉しかった。


山里には蟬の声が、時雨《しぐれ》のように降りそそぐ。その中を苑絵は、画材の入ったバッグを抱え、目的の書店へと急いでいた。

(もうなんで白のワンピースなんて着て来ちゃったかな)

半袖のワンピースの上に、銀河堂書店のエプロンを掛けながら道を急いだのは、気が逸《はや》ったから。似合うからと選んだそのワンピースが、作業には向かないと今更のように気づいたからだった。――こんな汚れたら目立ちそうな、おまけに丈《たけ》の長い洋服をどうして着て来ちゃったんだろう？

（なんでこうわたしったら、考えが足りないのかな）

こんなとき親友の渚砂なら、適当なシャツにジーパンを合わせ、動きやすい格好で軽々と店に向かうだろう。苑絵のように旅の目的がなんなのか忘れたような、浮ついた失敗はしないに違いない。

「苑絵ちゃん、ちょっと苑絵ちゃん」

日傘を差して後ろからついてきている母、茉莉也が声をかける。「あなた、日傘に入りなさいな。日焼けしちゃうわよ。熱中症になったらどうするの？」

「私は早くお店に着きたいの。何か、桜風堂書店さんのお役に立てることがあるかも知れないし。だから、少しでも早く――」

そもそも茉莉也は一緒に来なくても良いのだ、と苑絵はむっとする。

ホテルからは別行動の予定で、苑絵は桜風堂に向かい、母は観光と思い出にふけるために、ひとり町をそぞろ歩く――はずだったのだけれど、母親としては何より先に、桜風堂書店にご挨拶《あいさつ》に行きたい気分だったらしい。

（そんなことされたら、いよいよ保護者同伴でお店にうかがうみたいじゃない）

苑絵は泣きたい気分で、店へとひたすらに急ぐ。はきなれないサンダルも足に痛くて、自分が情けなくて仕方がなかった。

山里の澄んだ空気の中とはいえ、暑い盛りの夏の日差しは、焦《こ》がすように照りつけ、苑絵はなんで帽子をかぶってこなかったんだろう、とさらに自分を責めた。


桜風堂書店は、その日からカフェの開業前日まで臨時休業になっていて、苑絵が店に辿り着いたときには、ガラスのドアの内側にカーテンが掛かっていた。玄関近くのカフェコーナーらしき部分の大きなガラスの窓にも、レースのカーテンが掛かっている。


呼吸を整えてから、チャイムを鳴らすと、懐かしい声が、はい、と聞こえてきて、ドアベルの音とともにドアが開き、店のエプロンを身につけた月原一整の姿を認めた──あ、足下《あしもと》には猫ちゃん──アリスちゃんだっけ、と思った途端──苑絵は笑顔になったまま、目眩《めまい》がして、その場にしゃがみこみそうになった。

暑さや睡眠不足やもろもろが祟《たた》ったらしい、とくらくらする頭で考え、自分のどうしようもなさに死にたくなっていると、母の茉莉也が、やっと追いついて、うしろから助け起こそうとした。

でもそれより速く、一整が身をかがめ、

「──大丈夫ですか？」

と、慣れた仕草で手を取り、助け起こしてくれた。

「だ、だいじょうぶです……その、ありがとうございます」

苑絵は何とか答えながら、懐かしさに時が止まったような気がしていた。

この手に何度も助けられてきたんだなあ、と、今更のように心震えるような想いがしていた。本の匂いがする、大きな熱い手だった。

「あらあらあら」

何を思ったやら、茉莉也が楽しげにふたりの様子を見て、落とした日傘を拾い上げつつ、

「ママいま、大変って走ってきたのに、走らなくてもよかったかなあ」

うたうようにいうと、三毛猫のアリスを撫で、抱き上げて、顔を見合わせるようにして笑った。

「ちょっとふたりとも、良い感じなのかな？」

ひゅーひゅー、などといって笑うので、苑絵は顔を赤くして、

「そんなんじゃないっていうか、月原さんに失礼でしょう？」

後れてその場に顔を出した前の店主と、その孫の中学生、透《とおる》もその場の様子を見て、何を思ったやら、にこにこと笑っている。

わたしなんか相手に誤解されて、嫌な思いをさせていたらどうしよう、と思いな

がら、苑絵がそっと一整の顔を見上げると、彼は、

「いや、失礼とかそういうことは……」

どこか困ったような、複雑な表情で呟《つぶや》き、

「それより、ほんとうに大丈夫ですか？　今日も暑いですし。少し、休みますか？」

真剣なまなざしで、そう訊いてきた。

「いえ、わたしはすぐにでもお手伝いを」

しゃんとしなくては、と背筋を伸ばしたつもりが、また目眩がして、苑絵はまた大きな手に助け起こされたのだった。


桜風堂書店の二階には、児童書と参考書、コミックのコーナーがある。今日は、そこを主に担当している来未《くるみ》と、一階のレジを担当する藤森《ふじもり》のふたりは、それぞれにカフェ開業の準備のために出かけているらしい。

苑絵には馴染《なじ》みのある本がたくさん並んでいる、その部屋の奥にはふたつの扉がある。ひとつはバックヤードの扉。そしてもうひとつは、住居の側に通じる短い廊下へと通じる扉で、その先にはいまはなき透の祖母、前の店主の妻が生前に使っていたという部屋があった。いまはスタッフの休憩所として使われているらしい。

前の店主は、苑絵をその部屋に案内し、

「良かったら、しばらくここで休まれませんか?」

と、窓辺に置かれた古いラタンの長椅子を勧めた。揃《そろ》いのコーヒーテーブルに、透が冷たい麦茶を持ってきて、どうぞと勧めてくれた。

壁には本棚が並び、古い絵本や児童書が美しく並んでいた。売り物ではなく、亡きそのひとの愛した本なのだろうと苑絵は思う。

並べられた本のセレクトといい、素朴《そぼく》で美しい調度品の数々といい、かつてそこにいたひとの想いや視線がいまも残っているようで、苑絵は陶然《とうぜん》とした。

そのひとは児童書が好きで、読み聞かせも好き、生前は子どもたちを集めて読み聞かせの会をしていたのだと、誰かに聞いたような記憶がある。

(お会いしてみたかったなあ)

きっと話があっただろう、なんてつい思ってしまう。

ひやりと滑《なめ》らかな椅子に腰をおろし、勧められるままに冷たい麦茶を口に運んでいるうちに、急な眠気がやって来て、苑絵は、

(少しだけね、少しだけ……)

自分にそういいきかせて、横たわり、目を閉じた。

前の店主や透、一整に母の茉莉也たちが、静かに部屋を出て行く気配を感じた。

「——すぐに行きますから」

と、口の中でいったけれど、聞こえただろうか。

それからどれくらい時間が経《た》ったろう。

数回まばたきするくらいの間だったような、それとも驚くほどに長い時間だったような。

すうっと、水底《みなそこ》から引き上げられるように自然に目が覚めて、苑絵は身を起こした。

からだが軽くなり、頭がすっきりしていた。

ふと、誰かの視線を感じて、慌てて居住まいを正しながらそちらを見ると、細く開いた扉の間から、女の子がひとり、こちらを向いて笑っている。

(——あの子だ)

と思った。苑絵のことを、お母さん、と呼んだ夢の中の子ども。

風が吹き渡り、風車が回る、あの草原の駅に立っていた女の子。そして、電車が着いた終点の駅で、苑絵の手を引き、助けてくれた女の子——。

「——夢じゃなかったの？」

長椅子から床に降りようとすると、

『夢じゃないよ』

女の子はいたずらっぽく笑い、扉を大きく開けて、苑絵を招くようにした。

廊下へと身を翻《ひるがえ》す。階段を降りてゆくような足音がした。

「待って」

苑絵は慌ててその後を追った。

休んだからだろうか。ふわりとからだが軽く、足早に駆けてゆくその子の背中を苦もなく追いかけることができた。

鬼ごっこを楽しむように、女の子は笑みを浮かべたまま、軽《かろ》やかに駆けてゆく。

古くなってつややかに光る狭い木の階段を降り、廊下を走る。それは苑絵の知らない階段と廊下で、おそらくは店と隣り合っているという、前の店主の住居の側のそれなのだろうなと、苑絵は思う。

やがて少女は一階に降りたち、庭に通じるガラス戸を開ける。靴も履《は》かず、緑が茂る庭を渡って、離れに見える部屋へと駆けてゆく。

「――あっ、その部屋は」

たしか一整は離れに住んでいるといっていなかったろうか。

女の子は部屋に辿り着き、ガラス戸と障子を開けて、部屋へと上がり込む。

苑絵は躊躇《ためら》いながら、はだしでそのあとをおった。夏草はひんやりと疲れた足に心地よく、踏むごとに緑の香りがあたりに散った。

たどりついたその部屋で、女の子は苑絵に背を向けたまま、部屋の一角を見上げている。

苑絵が追いつくと、「ほら」とそちらを指さして、笑った。

一整の性格のままに整えられたその部屋の壁の奥には、あの苑絵が描いた『四月の魚』のポスターが綺麗に飾られていた。皺《しわ》ひとつなく、大切に貼られていたのだった。


「——苑絵、苑絵ちゃん」

誰かが肩を揺する、その気配で、苑絵は目を開いた。

そこは離れの部屋ではなく、あの二階の美しい部屋のラタンの長椅子で、母の茉莉也が床に膝を着くようにして、苑絵を覗《のぞ》き込んでいた。

「大丈夫？　さっきよりは顔色良くなってはいるけど、念のために病院に行く？近くに昔からある、良い病院があるんですって」

大丈夫よ、と苑絵は笑う。こんなに身が軽いし、時間だって勿体《もったい》ない。カフェ開業のお手伝いをしなくては——。

苑絵は辺りを見回した。

「──ママ、あの子は？」

苑絵はまばたきしながら、茉莉也に訊いた。

「『あの子』って？」

「ええっと、夢で見た……」

そう口にして、苑絵は、自分は夢を見ていたのか、と思った。

ゆるゆると身を起こしながら、ため息をつく。からだはずいぶん楽になっているけれど、まだあの女の子がすぐそばにいるような、そんな気配を幻のように感じていた。

はだしの足にはサンダルでできた靴擦《くつず》れのあとだけあって、草を踏んだその名残はどこにもなかった。


母とともに、桜風堂書店へと階段を降りて行き、一整たちが楽しそうに話している大きなテーブルへと、苑絵も辿り着いた。

大丈夫ですか、大丈夫です、としばらくやりとりが続き、母茉莉也は、

「じゃあ、またあとでね」

と、その場を離れようとした。もう手にカメラなど持っていて、観光客気分に切り替わろうとしているようだった。夕方になる頃、ここに戻ってきて、みんなで食

事に行こう、という話になっていた。

「さすがに、観光ホテルさんみたいにはママのこと覚えていてくれるひとはいないだろうけど、でもいいのよ、ママが懐かしいんだから。里帰りした気分を味わってくるわね」

そういって、茉莉也は颯爽《さっそう》と姿を消した。

「――すみません、ご心配かけて。あの、ちょっと夕べ寝そびれてしまって……」

苑絵はみなに頭を下げた。「もう大丈夫ですので。おかげさまでゆっくり休めました」

「そうですか、それはよかった」

前の店主が優しく、にこやかに笑う。

一整も透も、そこにいる猫のアリスや白い鸚鵡《おうむ》までもが、優しくにこやかに自分を見つめてくれているようで、苑絵はその雰囲気が好きで、ここにいられることが嬉しくて、嬉しさと恥ずかしさから、つい、口を滑らせてしまう。

「――あの、不思議な夢を見ました。わたしに似た女の子が、おいでって、手招きして呼ぶんです。階段を降りて、庭を走っていって。わたしはあとを追いかけて、離れの……」

そこまでいいかけて、自分は何を口走ったのだろうと苑絵は狼狽《うろた》えた。「いやその、夢の中の出来事で、あの、ほんとなら、月原さんのお部屋に勝手に上がり込んだりなんて、わたしは、しないんです、しないと思うんですけど、あの。そしたら部屋の奥の壁にわたしの絵があって――」

苑絵は顔を真っ赤にして、うつむいた。

もう死んでしまいたい、と今日一日だけで何度目なんだろうと自分にツッコミを入れながら、思った。

いったい自分は、なんてことを口走っているのだろう。

（もう絶対、月原さんに嫌われた。透くんたちにも、気持ち悪い、変なひとだって、思われてる……）

けれどそのとき、一整がいった。どこか、笑みを含んだ、楽しそうな声で。

「不思議ですね」と。

「ぼくの部屋には、たしかにその、卯佐美さんの絵が飾ってあるんです。とても好きで――気に入っているので。そのことをいつか卯佐美さんに伝えたかったんです。もういえないままになるかなと思ってましたが、ええとその、機会ができて、夢に感謝ですね。夢の、その、不思議な女の子に」

いつもより早口で、どこか照れたように、視線をそらして、一整はそういうと、

「冷たいものを持ってきますね」

急ぎ足で台所に向かった。

「あの」

苑絵はその背中に声をかけた。「いま、わたしの絵を部屋に飾ってくださってるって、そうおっしゃいましたか?」

「はい」

立ち止まった背中が答える。

「気に入ってくださってるって……」

「はい」

もう一度答えると、それきり背の高い背中は、行ってしまった。

顔を赤くしたまま、苑絵がうつむくと、その場にいたひとびとは何もいわずに、ただみんながにこやかに、互いに目を合わせたりして、笑っていることがわかった。

窓にかかるレースが、夕焼けの赤色に染まるくらいの時間まで、カフェ開業の準備やいろんな会話は続き、ひととおり終わって、ここまでにしようか、となった頃、母の茉莉也が帰ってきた。両手にたくさんの紙袋を提《さ》げている。買い物好きの母のことだ。ましてやここは思い出の町なのだから、たくさん買い込んだのだろうな、と苑絵は思った。

　笑顔の母は、なぜだか目を赤くして、いった。

「――町のひとたちみんな、ママのこと覚えてててくれてたの。商店街のひとも、牧場のひとも。どこにいっても、あ、茉莉也ちゃんだ、おとなになったねえ、って。相変わらず、綺麗で可愛いねえ、って。みんなずっとママのこと覚えてて、応援してくれてたんですって。もう芸能界引退しちゃって、テレビに出なくなって長いのにね。一回きりしか、この町に来なかったのに」

　母は天井を見上げるようにして、溜まった涙を振り払うようにした。

「『おかえりなさい』って、いっぱいいわれちゃった。ママ、馬鹿ねえ。もっと早く、この町に帰ってくれば良かったわ」


　夕食に出るにはまだ少し早い時間だったので、カフェスペースのサイフォンを使って、一整と帰ってきた藤森が、みなにコーヒーを淹《い》れた。

　店内にはコーヒーの良い香りが満ち、ひとびとは熱く美味《おい》しいコーヒーと、静かな山里の宵《よい》のひとときを楽しんだ。

　苑絵は酔うような幸福を感じて、一整が運んでくれたコーヒーを味わっていたけれど、ふと彼は落ち着かない感じで立ち上がり、どこからともなく、綺麗に包装された包みを取り出すと、苑絵に差し出した。

「――大変遅くなってしまいましたが、『四月の魚』の絵のお礼です。あの絵にくらべれば、ささやかなものかも知れませんが、ぼくはとても美しいと思いました」

苑絵は息を飲み、コーヒーを取り落としそうになりながら、なかば腰を浮かせ、包みを大切に受け取った。

ベージュ色の和紙に、金銀の粉と露草《つゆくさ》の花の絵が描いてある包装を丁寧《ていねい》に開くと（気がつくと指が震えていた）、そこには、白く薄いショールがオーガンジーのリボンで束ねられ、丁寧に畳まれて入っていた。

透けるように薄く、繊細《せんさい》なそれは見るからに上等な麻だった。そしてその波のような模様が織り込まれた表面のいたるところに、淡く虹色に染められた、細く小さな絹のリボンが、数え切れないほどに、たくさん結んであった。まるで白いさざ波のうえに、小さな虹色の羽の妖精たちが飛び交っているような、そんな情景に見えた。ひとつひとつひとの手で結ばれたものだとわかるので、これはいったいどれほどの時間がかかる細工なのだろうと、苑絵は息を飲んだ。

「ほう、これは見事なショールですね」

藤森が気持ち身を乗り出して、いった。「この町は昔から、織物が盛んで、麻も絹も名産品だったんです。いまじゃその数も減りましたが、歴史的に職人の住まう地でもあるんですよ。――で、最近、若者たちの中で、失われてゆきつつあるその技術を受け継ごうという動きがありましてね」

　ちらりと楽しげに一整の方をみる。

　一整がうなずく。

「商店街の仲間に、染め物と織物をするひとがいて――あ、合同サイン会の時に、卯佐美さんもきっと会場でお話ししてると思うのですが――そのひとがまさにその運動の中心にいるひとりなんです。こしらえた物を使って、町おこしに使えないかと考えてるみたいで、みんなで、いろんな新しい土産物を企画中なんだそうです。

　これは、そのひとが織り、染めて、作ったばかりの、試作品みたいな一枚なんだそうです。お気に入りの一枚だから、よかったら、と渡してくれました。試作品、というとお礼の品にはふさわしくないと思わなくもなかったんですが――あまりに、美しかったので」

　苑絵はショールをふわりと抱きしめた。

「ありがとうございます」

　嬉しくて、言葉にならない。でも、それじゃ駄目だと口を開いた。

「――あの、試作品ということは、世界で一枚しかない品物だってことでもあると思うんです。まだどんなお客様もその存在を知らない、生まれる前の美しい品物だということ。誰も知らない世界にたったひとつの宝物をいただいたみたいで、わたし――とても嬉しいです」

苑絵の隣で、ショールを見つめていた茉莉也が、深くうなずきながら、いった。

「これはたしかに、とても――とても美しいショールだわ。そう、この町にはこれだけのものを企画して作れる若い人達がいるのね」

茉莉也は腕組みをして、数度うなずいた。「一度、その方達にお会いしてみたいわ。うちの会社で何か応援できることがあるかも知れない」

「ほんと、ママ？」

「ええ、これだけのレベルのお品が作れて、同じレベルのものがいくつも企画できて作れるのなら、たとえばうちの会社の製品として売り出してもおかしくないわ。むしろ許されるなら、もう少し簡略な細工とデザインにして、うちが契約している工場の職人さんたちにお願いして、たくさん作れると嬉しいくらいかしら」

藤森が笑顔でうなずく。

「工場や大勢の職人も、この町ですべてまかなえるかも知れません。若者たちに技術を伝えてくれている、老いたりとはいえど、まだ充分現役の職人たちも町にはたくさんいます。古くなりましたが、まだ充分使えるだろう、工場と機械もあります」

かつて稼働《かどう》していた、たくさんの職人を抱えた工場は、不況の折、企業が引き上げたことで閉鎖され、機械はそのまま置き去りになり、職人たちはなすすべもなく仕事をなくしたのだと藤森はいった。それから長く時が経ち――。

「――そうなんですか。まあそれは、なんてもったいない」

茉莉也は不敵な笑みを浮かべた。「これもまた縁と出会いでしょう。わかりました、わたくし、この町でいろんな方に会い、お話をうかがってみますわ。そしても し、みなさんがそれを望むなら、わたくしの会社がその工場を引き継げるように、なんとかしてみます」

苑絵は、茉莉也を見上げた。

茉莉也は任せておきなさい、というように、笑みを浮かべ、うなずいた。

「みんなで美しい品物を作り、世界にその品を送りだして、みんなで豊かになりましょう。――任せておきなさい、苑絵ちゃんも知ってるように、ママ、商売の才覚はあるし、絶対に損はしない、させないだけの運もあるから」

苑絵はうなずいた。そう、このひとは世界を相手に渡り合う、一流の商売人なのだ。

このひとに任せておけば、心配はない。母が舵《かじ》を取る限り、その仕事は安泰なのだ。

穏やかな笑みを浮かべて、茉莉也はゆっくりと皆を見回し、いった。

「この町を豊かにすることに手を貸してさしあげたいのです。なぜって、この町はずっと昔から、わたくしの故郷だったんですもの」

一整は、苑絵と苑絵の母に商店街を案内し（当然、文房具店の毬乃のところにも顔を出し、苑絵親子と彼女を引き合わせた。毬乃はショールを手にした苑絵を見て、とても似合う、と大喜びだった）、一行は、郷土料理を出す和食のお店で、舌《した》鼓《つづみ》を打った。

食事の後、夜になり、天空に星の光がまたたく時間になった頃、一整はふたりを丘の上のホテルまで送っていくことにした。透もついてくるという。

日が落ちて肌寒くなったので、苑絵は白いワンピースの上にあの美しい白いショールを羽織っていて、その様子は天使のようだとひそかに一整は思っていた。――でなければ、ウェディングドレスのようだ、とちらりと想い、すぐにその想いを打ち消した。

部屋にポスターを飾っていることを伝え、絵へのお礼の品を渡せたこと、それを苑絵が喜んでくれたことだけで、自分はもう満足しなければいけないのだと思おうとした。

明かりの灯《とも》るホテルの玄関で、一整と苑絵は、どちらからともなく、おやすみなさい、と言葉を交わした。――そして、

「また明日」

互いに笑顔でそういって、別れた。

また明日、といえることは、嬉しいことなんだな、と一整はそっと嚙みしめた。


桜風堂への帰り道、透が一整の背中をつついた。

「告白とかすればよかったのに。しないかなあと思ってついてきたんだよ、ぼく」

「いや、そういう関係じゃないから」

一整は咳払《せきばら》いした。

「そうかなあ」

「そうだよ」

透は一整の前に回り込み、笑った。

「ねえ、卯佐美さんってさ、絶対一整さんのこと好きだよ。一整さんもそうでしょ？　告白しなよ。つきあっちゃいなよ」

「まったくもう」

一整は苦笑した。

透とその親友たちは、中学生になり、声も変わって、女の子に興味が出てきた年頃なのか、桜風堂に遊びに来ても、よくそんな話をしている。

困ったものだなあ、と思いながらも、子どもの頃、思い詰めることが何かと多かった繊細な透が、気がつくと年齢相応の明るい少年になったことが、一整は嬉しかった。自分には弟はいないけれど、やはり弟を見るような目で、見ているのかも知れなかった。

「おとなをからかうもんじゃないぞ」

はーい、ごめんなさい、と透は笑った。

「でもお似合いだと思うよ」

ぺろりと舌を出しながら。

その夜おそく、心地よい疲れを感じながら、一整は明かりを落とした店で、ひとりカフェ開業の準備を続けた。

(夢に出た女の子、か——)

苑絵から聞いた話が気になっていた。

夢かうつつかわからないけれど、一整の部屋にあのポスターがあると苑絵に教えてくれたというのは——まさかあの、一整も知っている、優しい怪異なのではないだろうか。

「——いや、まさかね」

あれきり出なくなった、あの不思議な女の子は、いまとなっては、幻のようにも思える。今朝見たのと同じ、夢の中のできごとのように。

一整は微笑み、作業を続けた。

それでもさすがに、重なっている疲れが出て、いつかこっくりこっくりと、うつむいて、うたた寝を始めた。

ふと、テーブルのその傍《かたわ》らに、湯気の立つホットミルクを誰かが置いてくれたことに気づいた。ふわりと甘い優しい香りがした。

「——ありがとう」

透だろう、と、振り返らずにお礼をいった。

一整は気づかなかったけれど、薄暗がりに立っていたのは、あの謎の女の子だった。

『がんばってね、お父さん』

その口元がそっとささやいたことにも、一整は気づかず、よーし、もう少し頑張るか、と腕を回すと、作業の続きに取りかかった。

優しい怪異は、そっと微笑むと、部屋の薄闇の中に、すうっと消えていった。

『また会おうね』

そうささやきながら。

（プロローグ　終わり）

さよなら校長先生

5 うちわ 前編

瀧羽麻子
Takiwa Asako

アンコールが終わって、ステージの上が空っぽになっても、熱い拍手は鳴りやむ気配がない。

もちろん、希実《のぞみ》も例外ではない。手のひらはじんじんとしびれているけれど、ちっとも気にならない。このまま夜まで手をたたき続けたってかまわない。ついさっきまで会場を満たしていた六人の伸びやかな歌声が、まだ耳の中でこだましている。今ならなんだってできそうだ。

ほどなく、客席の照明がついた。アナウンスが流れ出す。味気ない人工音声が、とっとと夢から醒《さ》めろといわんばかりに、退場時の注意事項を慇懃《いんぎん》に並べたてている。

それでも観客の大半は、引き続き夢の中にいる。

夜の部なら、終演後の場内にはもっとあわただしい雰囲気が漂《ただよ》う。我先《われさき》に出口へ向かっていく客も少なくない。それに比べて、昼の部はゆとりがある。希実の周りでも、ほとんどの客が席にとどまり、ライブの余韻《よいん》にひたっている。

左隣のふたり連れは、興奮ぎみに言葉をかわしている。希実よりいくつか年下の、二十歳前後だろうか。右隣の席では、三十代くらいのひとり客がハンカチを目もとに押しあてて肩を震わせている。

彼女以外にも、感極まって涙ぐんでいるファンはけっこういる。数列前では十代と思《おぼ》しき女の子がふたり、しかと抱きあってしゃくりあげている。おそろいのTシャツは、片方が黄色で、もう片方がピンクだ。

おそろいなのは、このふたりだけではない。希実も含め、大勢の客が同じものを身につけている。

ツアー限定Tシャツは、他のグッズの多くと同じく、全六色で展開されている。黄色とピンクのほか、青と赤と緑と紫がある。選んだ色によって、メンバーのうち誰を推しているかがひとめで見てとれる。

ミラクルズは、六人組の男性アイドルグループだ。

マサト、イツキ、リョウ、アサヒ、チアキ、レオ、メンバーたちの頭文字をつなげて〈MIRACLE〉と名づけられた。厳密にいえば結成当初は七人体制で、〈E〉のエイタが脱退して以降、レオが〈LE〉の二文字を担うようになった。

ようやく、人波がじわじわと動き出した。相変わらずぐすぐすと盛大に洟《はな》をすすりあげている隣の客の後ろについて、希実も出口をめざす。

吹き抜けのロビーは、顔を上気させた客たちでごった返していた。開け放たれたドアから吹きこんでくる冷たい風に頬をなぶられ、脇に抱えていた上着をはおる。会場の中は汗だくになるほどの熱気がたちこめていたけれど、外に出たら半袖のTシャツ一枚ではさすがに寒いだろう。

前に向き直ったところで、息をのんだ。

数メートル先で、ちょうどドアをくぐろうとしている女性の横顔が、目に飛びこんできたのだ。

「高村《たかむら》さん?」

希実は思わずつぶやいた。

おもてに足を踏み出すなり、まぶしい晩秋《ばんしゅう》の陽ざしに目を射貫《いぬ》かれた。

正面の広場には物販のテントが並び、その向こうできらきらと波が揺れている。向かい風に乗って運ばれてきた潮の匂いが、鼻先をかすめた。

シーサイドアリーナは、その名のとおり海沿いに建っている。ここでミラクルズの公演が行われるのは今回がはじめてで、従って、希実がこの街を訪れるのもまたはじめてだった。

関西方面からの交通を調べてみたら、鉄道よりも飛行機のほうが早くて安かった。今朝は早めの便で大阪を発《た》ち、昼前には市内に到着して、予約しておいた駅前のビジネスホテルに寄った。部屋には入れなかったものの、フロントに荷物を預かってもらえたので助かった。小ぶりのショルダーバッグに必要なものだけを詰めこんで、身軽になって会場に出向いた。

地方公演の会場は、わりと辺鄙《へんぴ》な場所に位置するところも多い。今回のように昼の部と夜の部をはしごしようとすると、間の空き時間をどう過ごすかが悩ましい。だが、このシーサイドアリーナは、希実がこれまで足を運んできた各地の会場の中でも抜群の好立地だった。国際会議場に併設されていて、敷地内には和洋中の飲食店が選《よ》りどりみどりだし、特急の停まる最寄り駅から歩いて十分もかからない。

行列のできているテントを横目に、大股《おおまた》で広場をつっきっていく。

並んでいる商品にも、そこへ嬉々として群がっているファンたちにも、できるだけ目を向けずに早足で素通りする。立ちどまったが最後、誘惑《ゆうわく》に負けてしまいかねない。ツアー限定のグッズは、先週の大阪公演でさんざん買いこんだ。新たに仕入れる必要はない。予算もない。

テントのひしめく区画を無事に突破すると、少し離れた一隅に、軽食のキッチンカーが何台か停まっていた。ライブ帰りの客をあてこんでいるのだろう。物販テントの集客力には及ばないが、まずまず繁盛《はんじょう》している。

濃厚《のうこう》なソースの匂いに、上演中は忘れていた食欲を呼び起こされた。そういえば朝からろくに食べていない。ライブの直前はいつもそうなのだ。喜びと期待で胸がいっぱいで、食事どころじゃない。

ふらふらと列に並びそうになったものの、踏みとどまった。まずは、ホテルに戻ろう。ひと休みしていくらか体力を回復してから、ゆっくり腹ごしらえをすればいい。夜の部の開場時刻まで、まだまだ時間はある。

ホテルまで引き返して、チェックインをすませた。狭い部屋に入って一息ついた後、夜の部に向けて荷物を軽く整理する。持っていくべきものと置いていくものをひととおり分け、最後にもう一度、ショルダーバッグの中身を点検した。大事な日だ。万全の装備でのぞみたい。

ペンライトとオペラグラスは、昼の部でも大活躍した。スマホ用のモバイルバッテリーも欠かせない。前に一度、充電切れで電子チケットを表示できなくて、頭が真っ白になった。日が落ちたら冷えこみそうなので、念のためストールも持っていくことにする。そしてもうひとつ、絶対に忘れてはならないのが、うちわだ。傷つかないように、梱包材《こんぽうざい》でくるんである。

アリーナのロビーで見間違いをしてしまったのは、直前までこのうちわを握りしめていたせいもあったのかもしれない。

当然ながら、あの女性は高村さんではなかった。

ちょうどこっちを振り向いたので、正面から顔を見てみたら、全然違った。五年も前に一度会ったきりで、記憶が薄れつつあるのは否めないけれど、それにしても似ても似つかなかった。高村さんよりひと回り大柄だったし、だいぶ若そうだった。人間は五年で老けることはあっても、若返りはしない。

いずれにせよ、間違いなく別人だ。高村さんがここにいるはずはない。


五年前、希実と高村さんは、ミラクルズのライブで出会った。

会場はこのシーサイドアリーナではなく、隣県の山間にある総合体育館だった。デビュー十周年を記念した、結成以来最大かつ最長の全国ツアーで、ミラクルズは十数都市をめぐっていた。

希実にとっても記念すべき、人生初の地方遠征だった。

特段その会場をねらっていたわけではない。北海道から九州まで、全公演の抽選に片っ端から申しこんだ結果、なぜかそこだけ当選したのだ。どうせなら日帰りできて交通費もおさえられる関西圏の会場のほうがありがたかったが、背に腹はかえられなかった。いくら遠方でも、チケットが手に入ったのは僥倖《ぎょうこう》にほかならない。連番で二枚とれたので、中学時代からずっと一緒にミラクルズを応援しているマキを誘って、ふたりで参戦することにした。

希実もマキも、社会人として三年目を迎えていた。市内の商業高校を卒業後、希実は地場のスーパーマーケットに事務職として雇われ、マキは小さなイベント会社に就職した。ふたりとも一応は正社員扱いながら薄給で、おまけに給料もボーナスも惜しみなくミラクルズにつぎこんでしまうものだから、いつだって金欠だった。

節約のために、高速バスで往復しようとふたりで相談して決めた。行きは朝にこちらを出て、午後一番に現地入りし、ライブが終わったら夜行でとんぼ返りするというあわただしい旅程だった。

ところが出発の前夜になって、マキから悲壮《ひそう》な声で電話がかかってきた。

「ごめん、行けなくなった。急ぎの仕事が入ってしもて」

得意先のイベントで、開催直前にもかかわらず大幅に内容を変更したいと注文をつけられてしまい、部署の全員が総出で対処にあたらなければならないという。

「今晩もたぶん徹夜《てつや》やわ。ほんま、ごめんな。チケット代も、今度会ったときにちゃんと払うから」

マキは電話口で平謝りしていた。心から申し訳なさそうだった。

「希実はうちの分まで楽しんできてな」

マキを責めてもしかたない、と希実も頭では理解していた。

悪いのはマキじゃない。無茶な要求を押し通そうとする横暴な顧客や、社員の負担もおかまいなしにその要望をのんでしまう会社だ。マキを責めるどころか、友達として同情し労わるべきだった。

それなのに、「なんで?」と不満げな声が出てしまった。

「そんなん、断れば?　大事な用があるって説明したらいいやん」

職場の理不尽な上司や面倒くさい人間関係に悩まされるたびに、ミラクルズのために稼がなあかんもんな、と希実とマキは互いを励ましあってきた。仕事とは、あくまでミラクルズを追いかけるための資金を捻出《ねんしゅつ》する手段にすぎない。ミラクルズのためにがまんして働いているのに、その仕事のせいで肝心のライブに行けなくなってしまうなんて、本末転倒もはなはだしい。

「悪いけど、それは無理やわ」

マキが弱々しく答え、希実はますます愕然《がくぜん》とした。

「無理?　マキはミラクルズよりも仕事を優先するってこと?」

んなわけないいやん、と即答してほしかった。しかしマキは、ためらうように口ごもっていた。

「優先っていうか……」

言葉を選んでいるような間をおいて、言い添える。

「みんなに迷惑かけたくないし……」

「なにそれ？　迷惑かけられてんのは、マキのほうやんか」

衝撃に次いで、怒りさえわいてきた。つい声を荒らげた希実をなだめるように、マキは言った。

「この案件な、ほぼほぼうちに任せてもろてたんよ。やから、責任とらな」

すまなそうな、それでいて平静な口ぶりだった。

「ごめんな」

神妙に繰り返されて、希実は返す言葉もなかった。

「わかった。もういい」

力なく電話を切った。よくわかった。マキにとっては、もはやミラクルズより仕事のほうが大事なのだ。


早朝に大阪を発った高速バスは、昼過ぎに終点のバスターミナルに到着した。

むくんだ手足を無理やり伸ばして、希実はバスから降りた。車内は暖房が効いていたので、乾いた北風がいっそう身にしみた。体がどんよりと重い。移動中に睡眠をとるつもりだったのに、ばかに目が冴えてしまい、一睡もできなかった。マキのことがあった上に、ライブを目前にひかえた興奮も相まって、その前の晩もほとんど眠れていなかった。少しでもリラックスしようとイヤホンでミラクルズの曲を繰り返し聞いてみても、今回に限ってはいまひとつ効果がなかった。

ロータリーは閑散《かんさん》としていた。たまたま休みなのか、それともつぶれたのか、道沿いの商店にも軒並みシャッターが下りている。寒さを避けようと入った待合室にも、人影はまばらだった。

あくびをかみ殺し、曇った窓ガラス越しに外を眺める。真冬の曇天《どんてん》のもとで、見渡す限りなにもかもがくすんだ色あいを帯びている。希実の住んでいるあたりも都会とはいえないし、町の規模は似たりよったりかもしれないけれど、なんともわびしげに感じられた。マキとふたりなら、辛気《しんき》臭いとこやなあ、と笑い飛ばせるだろうが、ひとりだとただ心細い。自動販売機で売られていたカップラーメンをすすりながら、駅に向かう路線バスを待った。

今頃、マキはきっと会社で働いているのだろう。

仕事の合間に、行きそこねたライブのことを考えているだろうか。ちょっとくらいは後悔しているだろうか。忙しすぎてそれどころではないだろうか。

希実だって、ちゃんとわかっていた。世間一般の常識に照らしあわせれば、マキの判断は正しい。

まっとうなおとなは趣味より仕事を優先するものだ、と世の人々は言う。ひと昔前に比べたら、個々人の趣味嗜好《しこう》が尊重される寛容《かんよう》な時代になったというような説ももっともらしく出回っているけれど、アイドルを本気で追っかけている人間に対して、世の中は決して優しくない。十代のうちはまだ許されるにしても、年齢を重ねるにつれて風あたりは強まっていく。

今の希美にしてみれば、二十一歳なんてものすごく若いとしか思えないが、あの頃からすでに周囲の目は厳しかった。いつまでもアイドルなんかにかまけててどないすんの、と親はしきりに嘆《なげ》く。ふうん、ああいうのが好きなんや、と同僚には小《こ》馬鹿《ばか》にされる。えっ、まだ追っかけてんの？　と中高時代の友達からはあきれられ、時には憐憫《れんびん》のまなざしさえ向けられる。彼らの目には、希実たちがかわいそうな病人と映るらしかった。十代の少女が罹《かか》りやすい一過性《いっかせい》の熱病がどういうわけか完治せず、いまだ後遺症に悩まされているかのように。

それでも希実はくじけなかった。冷ややかな視線も、心ない皮肉も、マキとともに耐えしのんだ。彼らの無理解に愚痴《ぐち》をこぼしあい、これからもミラクルズにすべてを捧げようと誓いあった。

マキは希実にとって、かけがえのない同志だった。少なくとも、希実はそう信じていたのに。

在来線の鈍行電車に乗り、会場の最寄り駅からは再び路線バスに揺られた。電車もバスも便数が少なく、乗り換えのたびに長い待ち時間をやり過ごさなければならなかった。やっと体育館にたどり着いたときには、へとへとだった。

体は疲れ果てていても、外壁にかかげられた巨大なミラクルズの看板を見上げれば、俄然《がぜん》力がわいてきた。グッズを買ったり、写真を撮ったり、開場時刻まで時間を持て余すことはなかった。入場列に並ぶと、腕章《わんしょう》をつけた係員がてきぱきと誘導してくれた。彼らのような裏方の働きぶりを、マキは職業柄よく観察していた。そもそも今の勤め先を選んだのも、ミラクルズのライブに足繁《あししげ》く通っているうちに、イベント運営全般に興味がわいてきたためらしい。

連れが急用で来られなくなった、とおそるおそる告げた希実に、入場ゲートの係員はいやな顔ひとつせずに座席券を一枚だけ渡してくれた。なにか言われないか、言われないにしても白い目で見られやしないかとひやひやしていただけに、しごくにこやかな応対に拍子抜けした。さすがプロだとマキなら感心するかもしれない。

席につき、場内を見回してみた。座席はすでに半分近く埋まっている。ひとり客もそれなりにいて、悪目立ちするおそれはなさそうだった。

ただし、開演後も空いたままになってしまう隣の席は、目につくかもしれなかった。来たくてもチケットを手に入れられなかったファンも大勢いるのに、もったいないと後ろ指をさされないだろうか。希実のせいではないとはいえ、貴重な一席をむだにしてしまって肩身が狭かった。いや、マキを説得しきれなかった希実にも、いくらか責任はあるといえなくもない。

空席をおいたひとつ隣に座っているのも、ひとり客だった。

品のよさそうなおばさんだな、というのが、高村さん——その時点ではまだ名前を知らなかったが——に対して希実が抱いた第一印象だ。

姿勢がよく、髪型も身なりもきちんとしている。すみれ色のカーディガンに黒っぽい色のスカートという、アイドルのライブよりはクラシックコンサートのほうがふさわしそうな装いで、もの珍しげにきょろきょろと左右を見回している。こういう場所にあまり慣れていないのかもしれない。

年齢は、希実の両親よりも少し上くらいに見受けられる。多数派とはいえないものの、浮いてしまうほどでもない。ミラクルズのファンは十代から三十代が圧倒的に多く、SNSでさかんに情報発信しているのも主にその層だけれど、ライブ会場ではそれより上の世代もちらほら見かける。さっき入口の近くでも、友達どうしのようにはしゃいで写真を撮りあっている母娘と思しきふたり連れとすれ違った。その前年に、イツキが大河ドラマの主要キャストに抜擢されて話題を集めたおかげで、ファンの幅がぐっと広がった時期でもあった。

イツキは演技のみならず歌もダンスもうまく、なおかつ美形で長身とあって、ミラクルズ一の人気を誇っている。そのかっこよさは認めるけれど、希実が推しているのはなんといってもアサヒだ。

あの天真爛漫《てんしんらんまん》な笑顔をひとめ見るだけで、日々の疲れも鬱憤《うっぷん》もたちまち吹き飛ぶ。生きていてよかったとしみじみ実感がわいてくる。冗談抜きで、天使の化身《けしん》じゃないかと思う。アサヒを地上に遣《つか》わしてくれた神様に、心の底から感謝したい。こうしてライブで生の姿を拝《おが》めば、一年分の元気を充電できる。

ふと、高村さんがこちらに顔を向けた。希実がちらちらと視線を向けている気配を感じたのかもしれない。

空っぽの席を挟んで、目が合った。にっこりして会釈《えしゃく》され、希実も目礼《もくれい》を返した。

笑顔を作ったら、ひとりぼっちの所在なさがいくらか和らいだ。楽しもう、と心に決める。高倍率の抽選を勝ち抜き、お金も時間もかけて、はるばる遠くまでやってきたのだ。つまらないことで気を散らしている場合じゃない。ミラクルズとともに過ごせる時間を、心ゆくまで味わおう。

よく言われるように、推しは推せる間にとことん推すに限る。だって、いつ、なにが起きるかわからない。

実をいうと、希実ははじめからアサヒに注目していたわけではない。

ミラクルズの結成当初には、希実はエイタに夢中だった。正直にいえば、他の六人はろくに目に入っていなかった。小学校の卒業文集には、将来の夢として「エイタのお嫁さん」と迷わず書いた。

ところがデビューして数年後、エイタは突如《とつじょ》として脱退を発表した。ソロとして独立するわけでもなく、芸能活動そのものを一切やめるという。つまり希実のような一介のファンは、もう一生エイタと会えなくなってしまうのだ。

希実は中学生だった。突然の悲報に、なすすべもなく打ちひしがれた。本人の意向を尊重し祝福すべきだ、エイタの充実した人生と幸福を祈ってこそ真のファンである、というような正論もネット上では幅を利かせていたが、そうたやすくは割りきれなかった。比喩《ひゆ》ではなく食事がのどを通らず、ひと月で五キロもやせた。

減ったのは、体重ばかりではなかった。心の一部まで削りとられ、一気に何歳も年をとってしまったようだった。実際、あのすさまじい悲しみによって、寿命がいくらか縮んだ気がする。

思春期の只中に、ああやって本物の絶望に向きあったことは、希実の人格に少なからず影響を及ぼしているのではないかとたまに思う。大病を経験したり交通事故に遭ったりした人々が、それ以前とはがらりと人生観が変わったと述懐《じゅっかい》するようなものだ。たかがアイドルの引退でおおげさだと嗤《わら》われるかもしれないけれど、現に希実の日常はあっけなく崩壊してしまった。

だから決意した。いつだって全力を尽くそう、と。

希実はミラクルズに恩がある。エイタが去った後でどうにか立ち直れたのは、アサヒたちのおかげだった。仲間を失って誰よりも心を痛めているに違いない六人が、さびしさをぐっとこらえて、エイタの門出《かどで》を祝っていた。その思いやりと心意気に、つくづく惚《ほ》れ直した。

それにひきかえ、希実は動揺のあまり自分のことしか考えられなくなっていたのだ。なんて幼稚《ようち》で自分勝手だったんだろう。深く恥じ入り、反省すると同時に、気をひきしめもした。ファンとして、残ったみんなをここで支えなくてどうする。

開演を知らせるアナウンスが流れ、希実は正面に向き直った。視界に入る限り、希実の隣を除いてもうどこにも空席はみあたらなかった。

いつ、なにが起きるかわからない――かねてから心の中で唱えてきたその事実を、まったく違う意味で痛感させられる事態が数時間先に待ち受けているとは、このときの希実はまだ知らない。

ホテルを出て、駅前の大通りを海の方角へとぶらぶら歩く。黄色く染まった銀杏《いちょう》の並木道に沿って、大小の飲食店が軒を連ねている。

古ぼけたのれんのかかった、間口の狭いラーメン屋の店先で、足がとまった。こういう庶民的な店構えに、希実はどうも弱い。道にまで漂ってくる濃厚な出汁《だし》の匂いにとどめを刺され、すりガラスのはまった引き戸に手をかけた。

予想どおりのこぢんまりとした店内に、しかし予想に反して客の姿はなかった。

「いらっしゃい」

少しばかりひるんでいる希実に、カウンターの向こうから店主と思しき中年男が威勢《いせい》よく声をかけてきた。ひくにひけず、隅っこの席に腰を下ろす。空いているからといって、はずれだと決めつけるのはまだ早い。おそらく中途半端な時間のせいだろう。

気を取り直して品書きをじっくり眺め、醬油ラーメンを注文した。

地方に遠征するとなると、ついでに近隣の観光名所まで足を延ばしたり、地元ならではの名店を訪ねたり、小旅行気分で楽しむファンも少なくないようだ。たとえばこの街は、海に面しているだけあって新鮮な魚介類が名物らしい。ネットでも、おいしい寿司屋だの海鮮が売りだという居酒屋だのがたくさん紹介されていた。しかし、食にさして関心もこだわりもない希実にしてみれば、毎回ご当地のラーメンを食べられたら満足だ。あとは会場の周辺をぶらつくくらいで、じゅうぶん旅情を味わえる。

できあがりを待つ間に、ＳＮＳに寄せられている投稿をざっと流し読みした。ミラクルズとシーサイドアリーナの二語を組みあわせて検索をかけると、画面は熱のこもったファンたちの声で埋め尽くされた。

昼の部を満喫《まんきつ》した人々は報告や感想を、これから夜の部に来ようとしている人々は期待や意気ごみを、それぞれ思い思いに綴《つづ》っている。セトリや席のよしあしにまつわる書きこみも目立つ。そのふたつが、ライブに参戦するファンたちの重大な関心事なのだ。座席は抽選で決まる。どんな席に割りあてられるかはあくまで運しだいで、当日まで気が気ではない。

五年前の高村さんは、運がなかったとしかいいようがない。

高村さんの体が落ち着きなく左右に揺れていることに希実が気づいたのは、二曲目だったか三曲目だったか、開演直後の熱狂が幾分おさまってきた頃合だった。歌のリズムに乗っているのかとも思ったけれど、それにしては動きがぎこちなかった。どうしたのかといぶかしみつつ、前の列に視線をすべらせたところで、希実にも合点《がてん》がいった。高村さんのすぐ前にいる観客が、並はずれた巨体の持ち主だったのだ。小柄な高村さんにとっては、目の前に壁がそびえているようなものだろう。相手もわざとやっているわけではないし、どいてくれとも言えない。希実も前に似たような目に遭って、途方に暮れた経験がある。

懸命に首を伸ばし、ステージを視界におさめようと奮闘している高村さんを見るに見かねて、希実は華奢《きやしや》な肩をつついた。

周囲のじゃまになったらいけないので声は出さず、手ぶりで横の空席にずれるようにとすすめた。高村さんは最初きょとんとしていたものの、まもなく希実の意図がのみこめたようで、遠慮《えんりよ》がちに従った。

「見えますか?」

口をぱくぱくさせて、希実はたずねた。高村さんは勢いよく何度もうなずき、拝むように両手を合わせた。ありがとうございます、と唇が動いた。

終演後に、あらためて互いに挨拶をかわした。

希実がうすうす予測していたとおり、こういうライブに足を運ぶのははじめてだと高村さんは言った。県内の在住で、会場まで車で来たらしい。希実のほうも、簡単に自己紹介をした。関西から遠征してきたと話すと、目をまるくされた。

「まあ、そんなに遠くから? 今晩はどこに泊まるんですか?」

「これから夜行バスで帰ります」

希実の返事に、高村さんはさらに目を見開いた。そして、思ってもみない提案をしてくれた。

「よかったら、車でバスターミナルまで送りましょうか?」

電車と路線バスを乗り継いで二時間以上を要する道のりが、車でまっすぐに行けば一時間もかからないらしい。ありがたい申し出には違いなかったけれど、初対面の相手にそこまで甘えていいものかと希実がためらっていると、

「どうせ、うちも同じ方角だから」

　と押し切られた。

「それに、できればライブのお話ももっとしたいし」

　その点については、希実もまったくもって同感だった。ひとりでライブに参加して、最も物足りないのは終演の直後だ。どうにもおさえがたい感動と興奮が、全身を熱く満たしている。このまま黙っていたら、ふくらませすぎた風船みたいに、体がぱちんと破裂《はれつ》してしまいそうな気さえする。

　体育館の裏手に設けられた、だだっ広い駐車場の片隅に、高村さんの軽自動車は停めてあった。

　車中の会話は、ミラクルズの話題に終始した。ライブの感想からはじまって、メンバーのうち誰が一番好きか、どの曲が好みか、出演中のテレビ番組から映画や芝居にまで話は広がった。

　高村さんはイツキの出ていたドラマを見たのがきっかけで、ミラクルズの存在を知ったらしい。その後、歌番組やバラエティーで彼らの姿を追ううちに、いつしかイツキひとりでなくグループ全体を応援するようになっていったそうだ。

「だって、みんなそれぞれ違った魅力があるでしょう？」

おおまじめに言う。

「箱推しですね。ミラクルズだと、わりあい多いですよ」

希実が応えると、高村さんは怪訝《けげん》そうに問い返した。

「ハコオシ？」

「誰かひとりだけじゃなくて、ミラクルズごと推すってことです」

「なるほど、そういうこと。言いえて妙だわね」

途中からは、主に希実が喋《しゃべ》っていた。高村さんは希実のファン歴が長いと知るや、教師に質問する生徒さながらに、興味しんしんで次から次へと疑問をぶつけてきた。

こんなに熱心な生徒が相手だったら、先生も教え甲斐があるというものだ。何十歳も年上の相手に対して先輩ぶるのは面映《おもは》ゆかったものの、「なるほどねえ」とか「あらまあ、ほんとに？」とか、絶妙な間合いで差し挟まれる相槌に乗せられて熱弁してしまった。ふだんは誰も希実の話をこれほど真剣に聞いてはくれない。

思った以上に話が盛りあがったせいか、バスターミナルまでの一時間足らずはまたたくまに過ぎていた。

別れる前に、連絡先を交換しようと希実は持ちかけた。高村さんは快諾し、バスターミナルに併設された駐車場に車を停めてくれた。希実はコートのポケットからスマホを出し、そこではじめて、バス会社から届いていたメールに気づいた。

画面に表示された通知になにげなく目を走らせて、ぎょっとした。タイトルは、運休のお知らせ、となっていた。

「運休？」

声が裏返ってしまった。高村さんが眉をひそめる。

「どうしました？」

あわてて本文にも目を通した。関西方面へ向かう高速道路が、一部通行どめになっているという。積雪と事故が重なってしまったらしい。明日の便に振り替えるか、運賃を払い戻すか、いずれか選べと書かれている。どちらにしても、今晩の宿は自力で探さなければならないようだ。電車で帰ろうにも、もうまにあわない。

困った。大阪や東京なら、終夜営業のファミレスや漫画喫茶で時間をつぶせばどうにかなるけれど、このあたりにそんな店はあるだろうか。

「このへんで、どこか泊まれそうなところってありますか？」

希実はたずねた。高村さんは少し考えて、口を開いた。

「よかったら、うちに来ます？」

〈つづく〉

彼女は逃げ切れなかった　第八回

誰ひとり戻り切れなかった

［後編］

西澤保彦
Nishizawa Yasuhiko

たしかに不自然ではある。とはいえ松茂良《まつもら》氏なる御仁《ごじん》はそのとき、自分たちが未知の超常現象に翻弄《ほんろう》されているとの認識の有無はさて措《お》き、不可解極まる突発事態にただ為《な》す術《すべ》もなく、ある種の極限状況下に置かれていたわけだ。そんな折に、道理に適う行動をとっさにとらなかったからといって、それだけで彼がなにか後ろ暗い個人的事情をかかえていた、とまでは断定できまい。

みをりの立場としては、言うところの妹の「お漏らし」が、くだんのドタバタ劇の黒幕元凶であると明らかな以上、黙って見過ごせないのだろう。その気持ちはよく判る。

　ただ、しえりの念力がもたらした茶番が当事者たちにとって忘れ難《がた》い珍事であることはまちがいないものの、いち体験としてはある意味、そこで完結しており、なにか外部や別件への波及効果などがあったようにも思えない。少なくとも先刻の、よもっち氏の談話を聞く限りにおいては。

　みをりだってそれは、よく判っているはずで、さきほど精神感応力によってよもっち氏の心象風景の透視を試みたのも、彼女自身、なにか具体的な当てがあったわけではなかろう。むしろ的外れな反応であるとは明らかながらも、とりあえず闇雲《やみくも》にそうしてみないではいられなかった、というだけの話だ。

　にもかかわらず、「すまないけど」と、わたしは立ち上がってレジへ歩み寄り、刻子《ときこ》に声をかけた。「さっきのよもっちって、あのお客さん。もしもまた、ここへ来るようなことがあったら連絡してくれる?」

　そう頼んだのは、みをりと喋っているうちに、行谷杏里《なめがややあんり》の名前を耳にした経緯を、ふと憶《おも》い出したからだ。現職刑事であるわたしの娘、纐纈《こうけつ》ほたるがいつだったか、ぼやいていた。曰《いわ》くホストクラブ通いに嵌《は》まっていた女性の殺害事件で逮捕された元ホストの男が、被害者の生前の動向についてなにやら理解に苦しむ供述をしていて、いったいどういうつもりなのか皆目《かいもく》見当がつかない云々《うんぬん》。

　つまり、よもっち氏が刻子の料理をお気に召《め》して再来店する可能性も充分あるかもしれないと期待したのは、みをりへのフォローというよりわたし自身の好奇心が主な理由だったわけだ。が、仮に運よく彼をつかまえられたとして、なにか追加情報を得られるとか新事実を解明できるとか、この時点では本気で考えていなかったし、ましてや、みをりの精神感応能力が役に立つ展開になるとは正直、まったく思っていなかった。

＊

「ところで、お客さまは」わたしは空《から》になったアペリティフの皿を下げ、刻子に手渡しておいてから、竹俣与文継《たけまたよもつぐ》の傍《かたわ》らへ戻り、そう話しかけた。「先日、とってもおもしろいお話をされていましたよね。まるで不条理映画かなにかのように斬新奇抜な」

「ん。え?」ナプキンで口許《くちもと》を拭《ぬぐ》った彼は怪訝《けげん》そうに視線を上げた。「先日、って。この店で? ふうん。なんだろ。どの話のことかな。いや、おれってさ、いつでもどこでも、おもしろい話しかしていないもんで」

「なんでも、他人さまの奥さまとよろしくやろうとしているところへ彼女の旦那さまが帰ってきちゃって、あらま大騒ぎ、という」

内容が内容だけに直截《ちょくせつ》にぶつけ過ぎかとも思ったが、杞憂《きゆう》だった。「だから。どの人妻との件？」と蛙《かえる》の面《つら》になんとやら。「おれって艶聞《えんぶん》だけは年じゅう絶えない男で、その手の武勇伝のストックはもう、腐るほどあるもんだから。なんちゃって。あはは」

「たしか行谷杏里さんという方の」

「あーはいはい、あれね。え。あのこと、おばさんにも話していたんだっけ、おれ。すっかり忘れてる」別に直接お披露目《ひろめ》してもらったわけではなく、こちらが勝手に小耳に挟《はさ》んだだけなのだが、そこら辺りは鷹揚《おうよう》にスルーしてくださる。「たしかに安直なギャグ映画はだしだったよ。いやもう、ね。あのとき彼女がワケ判らん悪手で自爆さえしなけりゃ、おれだって、あんなふうに無駄《むだ》に旦那と鉢合《はちあ》わせしたりせずに済んでいただろうにさ」

前回までのあらすじ

警察を早期退職した纐纈古都乃は、旧友の久志本刻子からの頼まれ事をきっかけに、不思議な能力を持つ双子の姉妹と親交を持つようになる。そんな古都乃の元に、今は亡き旧友・孝美からの私信が届くが、読む勇気を持てないでいた。一方、双子の姉・みをりは、刻子の店を訪れた客の、過去の奇妙な不貞話に興味を抱く。

「行谷杏里の旦那、つまり内縁の夫だったひと、とは松茂良国雄《くにお》のことですね」

「あーはい。マツモ。えと。下の名前ってクニオ？　だっけ。そうなん？　ふうん。なんでもいいけど、うん。あの男ね」

わたしの背後で、ぱしゃぱしゃスマホを使って、みをりが念写している音が響くが、与文継は我関《われかん》せず、といった態《てい》。「すんげえ腕っぷしが強くてヤベえやつだ、みたいに聞いてたんだが。実物は意外に、ひ弱な優男ふうだった。ひょっとして、ああいうタイプに限って、なにかあったときにはガチで、サイコな豹変《ひょうへん》をしたりするんかな」

「ありがちかも、ですね」と適当に相槌《あいづち》を打つ背後で、みをりが立ち上がり、カウンターのほうへと歩み寄ってくる気配。そしてわたしの肘《ひじ》を、ちょんちょんと突っついた。そっとスマホの画面を差し出してくる。

見てみると、歯を覗《のぞ》かせて屈託《くったく》なく笑っている与文継の画像だ。その肩の辺りに、いまこの瞬間、店内のどこにも居ない、別の男の顔がぼんやり映っている。

みをりは手際よく編集機能を使い、与文継の顔と彼に向かい合うわたしの背中の部分をうまく消去した。この場に存在していないはずの問題の男の顔アップのみの構図に仕立てて、スマホをわたしに手渡してくる。こちらからいちいち指示する手間はまったく不要。気が利《き》く娘だ。世が世なら本気で仕事上のパートナーになってもらいたいくらい。

「竹俣さん」内心でみをりへのご褒美をあれこれ楽しく検討しつつ、わたしはそのスマホを「ちょっとこれ、ご覧になってみてください」とカウンターのほうへ差し出した。

「ん。誰これ。なんだか冴えな……あッ」

よっぽど驚いたのか、与文継はストゥールから腰を浮かせた。「こいつ、あのッ。あれじゃん。あの男。杏里さんの旦那の」

「松茂良国雄？　ほんとですか、それ。あなたが行谷杏里との浮気未遂を起こしたのは、二〇一九年の三月十四日。つまり、いまから四年近くも前なんでしょ。記憶ちがいってことはないんですか？」

「いや、こいつだってば。これ。この顔、何年経とうと忘れられるもんじゃねえっす」

先日のカホ嬢との会話ではそこまで詳しく触れられなかったはずの「二〇一九年、三月十四日」というディテールにここでわたしが唐突に言及した事実の重要性に、どうやら与文継はまったく思い当たっていないようだ。おそらく問題の日付そのものを、てんから意識していないのだろう。「一度しか会っちゃいないけど、なんせもう、ね。あのときの、すべてがあまりにもッ。あまりにも、わちゃわちゃ過ぎてもう。おバカ過ぎてもう」

「なるほど」わたしは頷いた。もとより与文継は嘘《うそ》をついていないし、そんな必要が無いことも承知している。要は彼が「松茂良国雄であると認識していた人物」の顔を、こうして画像で確認できたのがポイントなのだ。

わたしはスマホをみをりへ返し、小声で彼女に「そろそろおうちへ帰る？　もうこんな時間だし」と、これから予想される展開への教育的配慮に鑑《かんが》み、そう訊《き》いた。が、みをりはゆっくり、しかし決然と首を横に振った。「判った。自分の能力がどう役に立ったのかをきっちり見届けたい、と瞳が語っている。「判った。その代わりお母さんには改めて、ちゃんと連絡しておいてね。わたしといっしょにここに居るので心配しないように、って」

みをりが頷き、しえりのところへ戻るのを待って、わたしは「竹俣さん」と与文継のほうへ再度向きなおった。「今度はこちらを、見ていただけますか」

「まだなにかあんの。どれどれ。ん」

彼に手渡したのは先刻とは別の、五十前後とおぼしき男の顔写真だ。どちらかといえば強面《こわもて》で、いかつい風貌《ふうぼう》の。「こりゃまた不景気な、っつうか。競馬で大負けした直後もかくやな仏頂面《ぶっちょうづら》だのう。どちらさん？」

「見覚えはありませんか」

「あいにく。じゃなくて、さいわいにも、と言うべきだね。ぜーんぜん。これまでの人生において、なんの縁もゆかりも」

「ほんとに？　でも竹俣さんはたしか、この方のお蔭《かげ》でずいぶんと、ドン・ペリニヨンなどのお相伴《しょうばん》にもあずかれたはずでは」

「へ？」

「もちろん当時〈トワイライト・コンドル〉で散財していたのは行谷杏里だけど、その彼女のお金の出どころはまちがいなく、この方のポケットだったでしょうし」

「ちょ、ちょっと、なに言ってんの、おばさん。お金の出どころ……って。え」ぽかん、と口を半開きにして再度、写真をじっと覗き込む。「え？　え？　このおっさんのポケット、って、どういう……まさか」

「こちらの人物こそが実は、行谷杏里の内縁の夫だった松茂良国雄なんです」

「いやいや。ちょいちょいちょい。まって待って。あのさ、そもそも」ようやく薄ら笑いを浮かべ、眼を瞬く。「ひょっとして、だけど。おばさんて警察のひとかなにか？」

　わたしは黙って、じっと彼の眼を見つめ返した。こんなふうに否定も肯定もせず放置すると先方で勝手に独り合点《ひとりがてん》してくれるから、人間心理とは妙なものだ。まあなんにせよ、わたしが元警察官なのは事実だが。この段階で与文継がすでに「警察」という発想に至ったのは、彼が見た目ほど脇の甘い人物ではないことの証左だろう。

「なんなん、いったい。よう知らんけど、ひとつ、はっきりさせとく。おれ、嘘は言っちゃいねえっすから。ほんとに。こいつはちがう。全然、別の男。杏里さんの旦那ってこんな、唯一の趣味は殴り合い、みたいな凶暴な面がまえのおっさんじゃねえもん。さっきのやつのほう。あっちだよ。さっき見せてもらったスマホの画像の、あいつだってば」

「こちらの方ですか」

別の顔写真をわたしは取り出してみせた。これも本物の松茂良国雄のものと同様わざわざ、ほたるから借りてきたプリントだ。

「そう。そうそう。こいつこいつ」我が意を得たりとばかりに勢い込んでくる。

「こっちのほうだよ、杏里さんの旦那は」

「この男は松茂良国雄ではありません」

「なに言ってんの？　じゃあ誰よ。だれ」

「名前は園城《おんじょう》英治《ひではる》。三十三歳。〈トワイライト・コンドル〉の元従業員です」

「って。元ホスト？　見覚えねえわ、おれ。オンジョウなんて名前、聞き覚えもない」

「かなり以前に、ちょうど竹俣さんが勤め始めるのとは入れ替わりくらいに、もう店は辞めていたようです。そしてこの園城英治なる男こそ、昨年の三月、行谷杏里を殺害した容疑で逮捕された人物でもある」

「た」さすがに驚いたのか眼を瞠《みは》り、ごくりと喉が上下する。「こ、こい……つが？」

「園城は未だに容疑を否認していますが。自分は杏里を殺したりしていない、犯人は他にいるんだ、と主張して」

「そりゃそんなときは誰だって、オレとちゃうわい、って否定するっしょ。ほんとにやったか、やっていないかは別として。殺人なんてそう簡単に認められるもんじゃ……」

「同じ否認するにしてもその言い分が、ちょっとおかしい。では真犯人の素性《すじょう》に心当たりでもあるのか、と問われた園城は、もちろんあるとも、と至って威勢がいい。ところが、その後が腰砕けで。曰く、名前までは知らないけれど、ともかく〈トワイライト・コンドル〉のホストだ。少なくとも杏里が殺害された時点で現役だったやつであることはまちがいない、かたっぱしから調べてみてくれ、そうすれば真犯人が判明するはずだ、云々」

「おいおい、名前も判らんのに、なぜホストが犯人だと限定できるんだ、って？

なるほど。警察としては、なんじゃそら、と胡散《うさん》臭く訝《いぶか》るのが当然だよ。でもさ、杏里さんはなにしろ三日にあげず店へ通っていたお方ですぜ。彼女の周囲に石を投げりゃホストに当たる、っつうくらい。いや、真面目《まじめ》な話。そいつの、園城だっけ？　言い分はそれほど的外れじゃない。むしろ鋭い。例えば杏里さんが殺された後で急に店を辞めたやつとかに条件を絞って、調べてみるのもアリかもよ」

「あまりにも断定するので、どうしてそこまで確信があるのかと園城に訊いてみた。すると、さらに理解に苦しむ答えが返ってきたそうです」うっかり「きたそうです」などと、わたしが厳密には部外者である楽屋裏を匂わせかねない言い方をしてしまったが、与文継はまったく意《い》に介《かい》していない様子。「行谷杏里が松茂良邸で殺害されたのは昨年、二〇二二年の三月十四日。ホワイトデイ。ちなみにこの日付に、なにかピンとくるものは？」

一応確認してみたが案《あん》の定《じょう》、与文継は特に反応を示さないので先を続ける。「園城が言うには、その日の夜、行谷杏里は〈トワイライト・コンドル〉へ赴《おもむ》き、そこで適当なホストをみつくろう。そしてその男性を自宅へ連れてかえるという手筈《てはず》になっていた、と」

「どうせその夜、旦那は留守だったたって言うんだろ。いつもの杏里さんじゃん。ただの平常運転じゃん。手筈になっていた、だなんて称するほど大層なもんでも

……」さすがに違和感を覚えでもしたのか、途中から与文継の声が失速した。「え

と。手筈になっていた、って。それはその園城ってやつが言……」

「園城によると彼は行谷杏里と結託し、こういう段取りを組んでいたそうです。先《ま》ず杏里が適当に選んだ男を自宅へ連れ込む。もちろん松茂良国雄は不在で、さあ家のなかは、ふたりっきり。なんの邪魔も入らずにお楽しみに耽《ふけ》れると、そう思わせておいて実は、園城が屋外のどこかで待機していた。ホストの男性と杏里がベッドに潜《もぐ》り込むタイミングを見計らい、園城は彼女から預かっている鍵で、わざと大きな音を立てて玄関から家のなかへ入ってゆく。如何《いか》にも突然、松茂良国雄が帰宅したふうを装って、ね」

顔を引き攣《つ》らせ気味になにか口を挟もうとした与文継を、わたしは遮《さえぎ》った。「いっぽう杏里はもちろん、廊下をずんずん寝室へ向かって突き進んでくる気配が松茂良国雄ではなく、そのふりをしている園城であると承知している。そのうえで彼女は、浮気が旦那にバレたらまずいと慌てふためくお芝居をして、連れ込んだ間男をむりやりクローゼットのなかに隠れさせる。ポイントはその際、寝室へ入ってきた人物、すなわち園城英治の素顔を目撃するような隙《すき》を絶対に、間男には与えないこと。杏里はクローゼットの扉越しに、さりげなく園城とのやりとりを間男に聞かせ、そこに居るのはたしかに松茂良国雄であるとのアピールでその場を取り繕《つくろ》った

後、偽者の旦那をうまく追い払えたふりをして、クローゼットに閉じ込められていた間男をこっそり家から脱出させる、と。ざっとそういう手順になっていたんだ、と園城は言う」

茫然《ぼうぜん》とした面持《おもも》ちで、なにか言いかける与文継を再度わたしは遮った。「ところが。打ち合わせ通りの時刻に鍵を使って松茂良家に入ろうとした園城だったが、なぜか玄関の扉がロックされていない。ちょっと不審に思ったものの、さほど手順に差し障《さわ》りがあるわけでもないので、寝室に踏み込んだ。すると、そこには誰も居ない。松茂良国雄のふりをしつつ杏里の名前を何度か呼ばわってみたが、屋内のどこからも、なんの反応も返ってこない。ひょっとして彼女、店で適当な男をピックアップするのに手間どっているのか？　それならそれで、なにか連絡がありそうなものだが、と園城は漠然《ばくぜん》と不安を覚えながら、なにげなしに寝室へ戻った。そしてクローゼットを開けてみたんだそうです」

「なんで唐突に？　どういう脈絡《みゃくらく》？」

「どうしてそんなことをしたのかは自分でもよく判らない。なにか虫の知らせでもあったのかもしれないと言う園城が扉を開けると、クローゼットのなかで杏里が倒れていた。胸部から刃物とおぼしき柄が生えており、死んでいるのは明らかだった、と。園城の供述はだいたいこんな感じ。ちなみに事件が明るみに出たのは翌日の夕方、帰宅して遺体を発見した松茂良国雄の通報によって、です」

「優男のほうはどうしたの、その後？」

「園城ですか。警察に通報もせず、逃げ出した。そのままだんまりを決め込むつもりが、それまでにも何度か松茂良邸に出入りしていたため、近所の住民に顔を憶えられていた。目撃情報を基《もと》に、現場周辺の民家に設置されている複数の防犯カメラの映像をつないだ結果、あっさり足どりを突き止められ、逮捕に至った。ざっと、そういう経緯です」

「しかし、ではこれで一件落着だよ、とはならんわね。そもそも、いったいなんなん、それ？　適当に引っかけたホストを自宅に連れ込んだうえ、わざと旦那をそこに踏み込ませる、って。しかもそれはほんとの旦那じゃなくて偽者、って。わけ判らん。マジ、なんなん。だとしたら……だ、だとしたら、だよ、まさか。まさか、四年近く前の、おれのあのときも、その、ひょっとして……？」

「まさに。行谷杏里と園城英治はグルで、あなたを騙《だま》そうとしていた。それはいま、ご自身の眼で確認されたとおり。園城を松茂良国雄だと誤認させようと彼らが企《たくら》んでいたことがこの写真や画像の照合で、はっきり証明されたわけです。ただ竹俣さんのケースのみ、とんだハプニング勃発《ぼっぱつ》のせいで、せっかくのお膳立《ぜんだ》ては不発に終わりましたが」

「ますますワケ判らん。杏里さん、いったいなに考えてたん？　そんなアホな茶番を、いったいなんのために？　しかも一度ならず、何度も……って」ぎょッと眼を瞠るや、泣き笑いのような表情になった。「あ、あのさ。まさかとは思うけど、ひょっとして、おれが聞いた、あの小乾《こいぬい》ってやつの話も？　あれもほんとは、そうだった……と？　杏里さんと園城ってやつのお芝居だったのか？」

「そのとおり。小乾流人が彼らのカモにされたのは、竹俣さんのケースのちょうど一年前の二〇一八年、三月十四日のことだった」

「またホワイトデイ？　どゆことよ、いったい？　なんでいちいち、その日なん？　なにか特別な意味でもあんの」

「正確なところは本人たちに訊いてみるしかないが、おそらく験担《げんかつ》ぎの類《たぐ》いだったんでしょう。つまり二〇一八年、彼らがいちばん最初に犯行に手を染めたのが、たまたま三月十四日で、思いの外《ほか》うまくいったものだから、その成功体験に呪縛されてしまった、というわけです。従って、それ以降もホワイトデイに拘泥《こうでい》したのは特に合理的必然性があっての進行ではない。事実こうして、三度目の犯行時には不測の事態が起こり、行谷杏里自身が命を落とすという結果に終わってしまったのだから。験は全然、担げていなかった」

「別におれが言う筋合いでもねえっすけど。その園城ってやつが杏里さんを殺した犯人だというのは、まちがいないことなわけ？　だってフツーはさ、こういう事件が起こったとき、真っ先に疑われそうなのって被害者と同居していた旦那じゃん、やっぱ」

「防犯カメラの映像に加えて、凶器のナイフの柄からは園城の指紋が検出されている。この点に関して本人は、被害者の遺体を見つけた際に動揺して、思わず触れてしまっただけだ、と主張しているが。園城は部外者にもかかわらず、松茂良邸の正規の鍵を所持していた。この事実がなにより大きい」

「まあそもそも杏里とグルになって、なにやらワケ判らん、怪しげな真似《まね》をしてたやつだもんね」行谷杏里という人間に対する与文継の見方が決定的に変容でもしたのか、彼女への「さん」付けが唐突に止まった。「でも松茂良のほうだって被害者の身内なうえに、通報した第一発見者なわけじゃん。フツーなら筆頭容疑者に挙げられる条件が揃《そろ》ってるじゃん。なのになんだか、あっさり嫌疑を免《まぬが》れている印象なのが、ちょっと解せない」

「もちろん松茂良国雄の事件当日の動向も、ちゃんと調べられた。その結果、彼にはアリバイが成立している。少なくとも行谷杏里殺害事件に関しては、ね」

こちらが如何にも意味ありげに付け加えてやったのに与文継は、いまいちピンとこないようだ。「でもアリバイって、あれっしょ。テレビで刑事ドラマとか観てたらたいてい、実は犯人による偽装でした、みたいな。最初っから怪しく当てにはならない前提の」

「松茂良国雄は当日、すなわち昨年の三月十四日に高和《こうわ》には居なかった。愛知県の某ホテルに滞在していたことが確認されている。より正確に言うと名古屋《なごや》市栄《さかえ》に」

「さかえ……」その地名になにか特に意味があるらしいと察してか、与文継の眼が微妙に泳ぐ。が、具体的にはなにも思いつかないようだ。「栄、って。なんで栄？」

「こちらをご覧いただきましょうか」わたしはA4サイズのコピー用紙を三枚、カウンターに並べてみせた。いずれも某全国紙の、それぞれ地方版の新聞記事の複写だ。「たまたま三紙とも、事件の第一報の段階ではそれぞれの被害者たちの実名が記載されていない。なのでわたしも、その方々の生命や尊厳を軽んじる意図は決して無いことをお断りして、全員を匿名《とくめい》で説明させていただきます」

ひとつ目の記事は二〇一八年、三月十五日付け。大阪市難波《なんば》の路上で五十前後の女性の変死体が見つかったと報じられている。頭部を殴打され、絞殺されていたのは保険外交員のA子さん。「報道は十五日だが、遺体が繁華街の路地の暗がりで発見されたのは前日、つまりホワイトデイの午後十時頃だった。A子さんは主に風俗やサービス業に従事する独身女性を対象に各種商品を推奨勧誘していて、その日は顧客サポートを兼ねたカジュアルな心付けを配るため、市内の複数の風俗店や飲食店を回っていたことが確認されている。どうやらその途上で襲われたらしい」

「二〇一八年のホワイトデイ……」与文継の耳にもようやくその日付が禍々《まがまが》しい響きを帯びてきたようだ。「さっき、あの。変なことを言ってたよね。最初の犯行をこの日にしてみたら、たまたまうまくいったものだから、そのまま同じ日付が験担ぎになった、とかなんとか……そ、それって、つまり」

「当時ホストだった小乾流人が高和市名月町《なつきちょう》の松茂良邸へ誘い込まれ、杏里と園城のお芝居による茶番劇のカモにされていたのとまったく同じ日に、大阪市難波の路上ではA子さんが殺害された。そういう構図です」

「だとして、いや。だ、だからさ、それにいったい、どういう意味があんの？」

「ふたつ目の記事がこちら」そんな彼の問いかけには、かまわず続ける。「二〇一九年、三月。報道はやはり十五日付けだが、被害者の男性Bさん、四十一歳の死亡推定時刻は前日のホワイトデイ。午後五時頃。現場は福岡市中洲《なかす》に在る某マンションの一室」

刺殺体を発見したのはBさんと同居していた二十代の女性で、出勤するために一旦自宅を出た後で忘れ物に気づいたのだという。彼女が自室へ引き返してくるまでの、ほんの短い時間内での犯行だったわけだ。「報道はされていないが、Bさんはキャバクラ嬢からまた別のキャバクラ嬢へ転々と、渡り鳥さながら、数珠《じゅず》つなぎに寄生生活を謳歌《おうか》する筋金入りの、いわゆるヒモだったようです」

「ちょ。ちょっと。自分では正確な日付なんか、はっきり憶えちゃいないんだけど。おばさん、さっき言ってたよね。おれが杏里にお持ちかえりされたのは四年近く前の二〇一九年、三月十四日で。それが、こ、この中洲の事件と同じ日……ってことは、まさか」

「そして最後のホワイトデイに起こった事件が、こちらの三つ目の記事。昨年、二〇二二年の三月十四日に名古屋市の栄で、サービス業の女性C子さん、当時三十三歳が自宅で絞殺された。そう。行谷杏里が高和市名月町の松茂良邸で変死体で発見されたのと、同じ日に。さて。これでお判りでしょ」

「いや、な、なんにも判らねえっす」

「二〇一九年のホワイトデイにあなたを手筈通り松茂良邸へ連れ込んだ杏里だったが、せっかくセッティングしておいたお芝居を自らの不手際で台無しにしてしまう。そのときの彼女の胸中や如何ばかりか。これで自分たちの手は後ろに回り身の破滅だ、と覚悟したかもしれない。ところがラッキーなことにはその日、高和から遠く離れた福岡市中洲で起きたBさん殺害事件の捜査で、松茂良国雄はもとより、行谷杏里という名前も重要参考人リストにはまったく浮上してこなかった。つまり彼らのアリバイ工作はひと知れず頓挫《とんざ》していたんだけれど、裏で運よく、すべて帳消しになるかたちに落ち着いていたのです」

「ありばい、こうさく、って。なんつうマンガちっくな響き。ま、マジで、か」

「彼女や松茂良国雄が中洲の事件の容疑者として捜査線上に浮かんでこなかったのは、Bさんが杏里のヒモだった時期があるという接点を所轄署や福岡県警が把握《はあく》していなかったからに他ならない。少なくとも事件発生の時点では、たまたま、ね。ラッキーだったとはそういう意味で、四年近く前の杏里たちは、ほんとに運がよかった。だから、そこで止めておけばよかったんです」

「な……止めておけば、って、なにを？」

「折《おり》しも世間は新型コロナ禍《か》という未曾有《みぞう》の事態に突入する前後で、公私《こうし》問わず県外への移動も制限されつつある社会状況だった。そう。自粛するにはちょうどいいタイミングだった、と言えましょう。特に彼らのような越境広域タイプの犯罪者たちにとってはまさに天の配剤にも等しいと謙虚に、そうわきまえて行谷杏里も松茂良国雄も、そこで潔く止めておくべきだった。もうそれ以上、犯行を重ねるという愚《ぐ》を犯しさえしなければ少なくとも、すでに実行済みのA子さんとBさん殺害事件については、かなりの高確率で迷宮入りに終わっていたかもしれないのに」

「つまり、三番目のC子さんのことは、もう諦めておけば、それで済。って。い、いや、諦める、なんて言い方はあれかもだが」

「いえ。まさにおっしゃるとおり。彼らは諦められなかった。それはあるいはC子さんこそが杏里にとってはいちばん殺したい、言わば大本命だったからかもしれない。三年間の自粛期間を経て、彼女は我慢《がまん》の限界に来ていた。もう待ちきれなくなっていた」

「仮にもひと殺しの話で、待ちきれない、って。どんだけ壊れてたんだよ、理性が」

「いわゆる道がついた精神状態だったのかもしれない。譬《たと》えて言えば、黄泉《よみ》の国のものを口にしてしまったが最後、もう二度と現世へは戻ってこられない。それと同じです。彼らは殺人という行為の快楽を覚えてしまった。なお悪いことに、杏里はただ男たちに、ああしろこうしろと指示を出すだけで、自《みずか》らの手を決して汚さなかった。それが、なおいっそう心の深い闇に拍車《はくしゃ》をかける結果になったのではないか。すなわち問答無用で他者の生殺与奪権を握《にぎ》るという立場がもたらす、歪《ゆが》んだ全知全能感。その愉悦《ゆえつ》に目覚めた杏里は、もはや理性を具《そな》えた人間に戻ることは二度と、できなくなっていたのです」

＊

古都乃《ことの》へ。

あなたがいま、これを読んでいる。それはつまり、あたしが宗也《そうや》よりも先に死んだ、ということ。

宗也が先立った（もしくは彼とあたしの関係が解消された）場合、この手紙をどうするか、それはそのときになってみないと判らない。宗也の代わりに他の誰かに託せば、いずれは古都乃のもとへ届くだろうけれど。途中であたしの気が変わって、この懺悔《ざんげ》そのものを破棄《はき》してしまうかもしれない。

そんな迷いをかかえつつ、この手紙をしたためているのは、あなたが早期退職され、お父さまの慎太郎《しんたろう》さんの介護に専念することになった、と風の便《たよ》りに聞き及《およ》んでから二年ほど後の、二〇一九年。

ちょこっと高和へ帰省した折に刻子の〈KUSHIMOTO〉に寄って、あなたに会えるかな、と思ったんだけれど、どうやらいろいろ取り込み中だったようで。結局、刻子といまさらLINE交換なんかしたりして。それで、おいとま。

正直に言うと、ひょっとしてあたし、古都乃に避《さ》けられてる？　と感じた。あるいはそれが、こうして一筆、遺《のこ》しておこうと思い立つ、きっかけになったのかも。

唐突で恐縮ですが、あたしの人生をひとことで表すなら、さながら水が低きに流れるが如《ごと》く、かな。もちろん良い意味で、ね。あくまでも。自分にとっていちばん自然、かつ最良と思える選択を、その都度《つど》、積み上げてきたつもり、なので。
ていうか、良い意味でのつもりだったし。実はその自己評価はいまも変わってい
ない。だからこそこうして、せめて手紙のなかでだけでも懺悔して、なにがしかの
埋《う》め合わせをしておこうとしている、のかも。なんて言うと、あれれ。我ながら、
ちょっと矛盾《むじゅん》している？　ような気もするけれど。まあ、それはそれとして。
おそらく慎太郎さんも未だ、あなたに打ち明けてはいないであろうことを、ここ
で告白しておきます。
あれは一九九二年、十月。あなたもよくご存じのとおり、あたしは帰省してい
た。いまにして思えば、どの面を下げて、良仁《よしひと》くんの葬儀に出られたのか、と我な
がら冷や汗ものではあるけれど。
そのとき、宇都野町《うつのまち》の纐纈邸に立ち寄っていたことまでは、古都乃も知らないん
じゃない？　実は東京へ戻る直前、あたしは慎太郎さんに会いました。ふたりだけ
で。古都乃が居ないところで話したいと、わざわざそう口に出して頼まれたわけで
もなく、要するに、そういう阿吽《あうん》の呼吸で。
あたしはてっきり、良仁くんの闘病中の様子でも話したいのか、と思っていたん
だけれど。そうじゃなかった。
慎太郎さんは、あたしに言いました。もしも藤永《ふじなが》さんがこの先、古都乃とともに

人生を歩んでくれるつもりがあるのならば、自分は決して反対をしない。力の限り協力をさせてもらうつもりだ。そのことをどうか心に留めておいて欲しい、と。

あたしは、なんにも答えられなかった。どうしてか、というと多分、そのときのあたしの耳に慎太郎さんの言葉は、なんていうか、単なるその場凌《しの》ぎな罪滅ぼし、のように聞こえてしまったから、だと思う。

たとえ実の母親であろうと孫娘を藤永さんに任せることはできない、と断固拒絶された怨《うら》みをあたしがずっと引きずっている、と。慎太郎さんはとどのつまり、そんなふうにしか藤永孝美《たかみ》という人間を捉《とら》えてくれてはいないんだ。そう決めつけて、失望してしまったから、じゃないか。そんな気がする。

こちらの人間性にきちんと向き合ってくれない、と反発していたあたしはあたしで、慎太郎さんのことも一面的にしか見ていなかったというお粗末《そまつ》だけど。そのときはとても、そこまで思慮が足りていなかった。

結果的に、あたしは慎太郎さんの誠実な理解も真摯《しんし》な提言《ていげん》もいっさい受け入れられず、終わった。のみならず、もの心もつかないうちに父親を失ったばかりの、ほたるを顧《かえり》みることもしなかった。古都乃と生涯のパートナーになることもなかった。

その後、ほたるが正式に養子縁組をして、あなたの娘になったという知らせをもらっても、あたしの心が郷里へ還ることは、ついになかった。なぜなのか。

宗也に対する遠慮？　それはちがう。彼のことは、いっさい関係ない。単にあたしは、もう戻れなくなっていた。それだけの話。

そう言うと、いや、それって根っこは同じことじゃないか、と。少なくとも宗也の存在がこの問題にまったく無関係って理屈はあり得ないだろう、と反論されて当然なんだけれど。さて。どう説明したものか。

あなたは憶えているかな。たしか昭和から平成になったばかりの一九八九年。刻子の親戚の結婚披露宴に出席するために、里帰りしていたときのこと。刻子を初めて、あなたに紹介したあの日。

刻子と合流する直前、ホテルのティールームで、ふたりでお喋りしていたでしょ。慎太郎さんがあたしと古都乃との仲を疑っているんじゃないか、というデリケートな話題になった。いまとなってはあなたにも、どれだけあたしがあのとき、複雑な心持ちだったかが容易に想像がつくことでしょう。

慎太郎さんが藤永孝美から遠ざけておかなければと警戒すべき対象は娘じゃなくて、実は息子のほうだった、という。まるで悪い冗談のような。その後の、あたしの出産から新生児の親権、養育を巡る話し合いなど一連の大揉《おおも》めの過程に鑑みるに、とても笑いごとでは済まないオチだったんだけれど。

この歳になって、あたしはときどき、埒《らち》もない夢想をするんです。もしもあの段階で、ティールームでのお喋りの途中で、良仁くんとのことを率直に、洗いざらい古都乃に打ち明けていたとしたら？　はたして、どうなっていたんだろう、と。

別にこれといって、なにも変わらなかったんじゃない？　と思ういっぽう、ひょっとしたら、ちがう未来があったかもしれない、なんて気持ちが無くもない。だって古都乃の性格からして、もしもあの時点で、あたしが妊娠していると知ったとしたら、絶対、黙ってはいなかったでしょ？

まだ大学院生で世間知らずな弟を誑《たぶら》かした以上、きっちり責任をとれ、と。その確約を取るまでは意地でも、あたしを東京へは戻らせなかったはず。そんな古都乃の勢いに圧されて、さすがのあたしも、もしかして、うっかり良仁くんと籍を入れちゃったり、なんて可能性も決してゼロではなかった。

もちろん運命の枝分かれって、それほど単純なものでもないわけで。例えばいくら古都乃から責められようともあたしは、良仁くんと夫婦になることはあくまでも拒絶したうえで、ほたるも纐纈家には渡さない、自分が引き取って育てる、という選択に固執していたかもしれない。そこは神のみぞ知る。

ただ、ひとつだけ、たしかなことがある。それは前述したように、あたしはこれまでの人生で常に自分にとっていちばん自然、かつ最良の選択を積み重ねてきた。

その自己評価を訂正、撤回するつもりは毛頭ないけれど、やっぱり心のどこかで、いつでも元の場所へ戻れるんだ、いざとなれば自分はすべてをリセットできるんだ、と。そんな安易な考えを抱いていた節がある。

　ほんとはもう、どこへも戻れない、リセットなんか利きようのない選択を白分自身の手で下していたにもかかわらず。

　でも、これだけは誤解して欲しくない。これだけは古都乃に判ってもらわないといけないのは、あたしは決して、自由で身軽でいたいがために宗也との関係を事実婚に留めていたわけではない、ということ。

　宗也との関係性はそれがベストだと見極めていたからこそ、そうしていた。それだけ。そのことだけは正しく理解していただけるよう、切《せつ》に願います。結局この手紙も、その一点こそを強調、弁明したかったのかも。

　あたりまえというか、いまさらなことばかり、虚《むな》しい言葉を連ねてごめんなさい。あたしは古都乃といっしょに、ほたるを育ててゆくという人生を歩む選択肢がちゃんとあったんだ、と。そう気づいたときには、もう元へは戻れないところへ来ていたんです。

　あなたがこの懺悔を読むことになる日が、いつか来るのか。それとも来ないのか。想像すると怖いような、でも、ちょっとホッとするような。複雑な心地を持て余しつつ。

さようなら。孝美より。

(付記。以下の文章は、二〇二二年の年明けに書き足したもので、蛇足《だそく》です。慎太郎さんが昨年末に、お亡くなりになった由《よし》。新型コロナ禍の折ゆえ、家族葬に駈けつけることができなかったのは、あたしにとって悔《く》いの残る巡《めぐ》り合わせでした。

三十年前とは少しちがう自分の顔で、きちんとお父さまとお別れをしておきたかった。そう思うのは単なる自己満足の欺瞞《ぎまん》であることは重々、わきまえつつも。どこまでも自分本位な、こんなあたしを愛してくれたこと、心から感謝しています。今度こそほんとに、さようなら)

＊

「大阪市難波のA子さん、福岡市中洲のBさん、そして名古屋市栄のC子さん。三人の被害者たちの共通項については、もはや改めて解説するまでもない。さよう。いずれも犯行現場が以前、行谷杏里が住んでいたことのある土地であり、彼や彼女たちは一時期、それぞれ仕事上、もしくは私生活上で、杏里とは浅からぬ関係があった」

「難波のA子は、えと。保険外交員だっけ。杏里もその顧客のひとりだった、とか？」

「正解。ふたり目のBさんは男女関係。彼は中洲で杏里と同居していた時期がある。恋愛感情の有無は別として、おそらく態のいいヒモだったと思われ、杏里が福岡から離れるのと前後してその関係は解消された。そして三人目のC子さんは、杏里が当時、栄で勤めていたキャバクラの同僚だった」

「その三人と杏里とのあいだで、なにかがあった、ってことなのか。しかも殺人事件にまで発展してしまうほど、深刻な？」

「具体的にどのような確執《かくしつ》や因縁《いんねん》があったのか、もはや当事者たちの誰にも直接確認することはできない。そもそも大阪、福岡、名古屋の三つの事件は、これまで互いに関連づけて考えられてはいなかった。行谷杏里という人物こそが実は全被害者たち共通の接点であると、こうして明らかになるまでは」

そう発覚したきっかけこそ他ならぬ与文継が先日、武勇伝めかしてカホ嬢に披露《ひろう》していた松茂良邸に於《お》ける奇妙奇天烈な体験談を、わたしがこの店で小耳に挟んだことだった。そのミッシングリンクの辻褄《つじつま》を埋め合わせる大胆な仮説をわたしが警察に情報提供したからこそ、これまでは個別にしか捜査されなかった三つの事件を複眼的視点で再検証できたわけで、換言《かんげん》すれば、すべて与文継の饒舌《じょうぜつ》のお蔭なのである。が、その点に関して、ここでは敢《あ》えて言及しないでおく。

「新たな情報を受けて大阪府警に改めて調べてもらったところ、当時の杏里と親交のあった元同僚に話を聞くことができた。それによると杏里は、難波の店を辞めて大阪から転居する直前、その知人にA子さんに対する不平不満をぶち撒《ま》けていたらしい。曰く、不慣れな土地での余所者《よそもの》の心細さに、まんまと付け込まれてしまった。個人的な悩みにも親身に相談に乗ってくれるふりをして、分不相応に高額な契約をさせられた、云々」

「だからって、殺す？　その程度のことで、って切り捨てるのも、それはそれで、なんつうか、不適切なのかもしれんけど」

「たしかに。殺人の動機となり得るほどの因縁なのか否《いな》か、見解は分かれるでしょう」

「中洲のBとは男女トラブルで。C子とは例えば上客の獲《と》り合いとか、なにか仕事上の対立でもあったんかな。仮にそれらが殺人の動機になり得るほどの問題だったとしても、実際に三人を手にかけたのは杏里自身ではなかった、という点がミソなわけだよね。いずれの犯行日にも彼女は高和に居たんだから」

「三つ目の栄のケースに至っては、名月町のほうで杏里自身が殺されてしまった」

「実行犯は旦那の松茂良だった。彼は言わば杏里の代理で三件もの殺人を……いっぽう彼女は園城に手伝わせ、いずれの犯行日にも松茂良は高和の自宅に居たかのように偽装してやっていた。アリバイ工作って、そういうことね。って、いや。理屈としては判るんだけど。現実にあり得ることなの、それ？　松茂良と杏里とのあいだの力関係がどれほど極端だったか、って話なのだとしても、だよ。彼女に命じられるまま唯々諾々《いいだくだく》と殺人を実行してしまう、だなんて。いくらなんでも」

「主従関係がグロテスクの域にまで達していた。松茂良国雄はよっぽど杏里の虜《とりこ》になっていた、ということでしょうか。身も心も彼女に捧げる、代理殺人マシンと化していた。それまで一度も会ったことのない、見ず知らずの他人たちの生命を立て続けに奪って厭《いと》わぬほど、理性も倫理観も麻痺《まひ》していた」

「杏里も杏里だ。いくら不快な思いをさせられた相手かもしれないとはいえ、ことは殺人だぞ。むかつくから殺しちまおう、ってフツー、なるかよ。短絡的にもほどがある」

「陳腐《ちんぷ》で類型的《るいけい》なまとめ方をご容赦いただけるなら、怨みや憎しみの深さは決して外からは窺《うかが》い知れない、ということでしょうか」

「ガチで正気を失っていたんだ。まちがいなく。けれど同時に逮捕は免れようともしているわけで。なんだか姑息《こそく》というか、中途半端に破滅的な感じなんだよね。小乾やおれを勝手にキャスティングしてのお芝居にしても、本人たちは大真面目だったんだろうけどさ。改めて考えてみると、ずいぶん間抜けというか……」与文継はそこで一旦口籠《くちご》もる。「園城ってやつは自分が、殺人のアリバイ工作に加担しているんだ、って事実を、ちゃんと承知のうえで杏里に協力してたの？」

「なにか善《よ》からぬ算段に基づく行為だ、くらいは理解していたでしょう。はたしてそれが殺人という重大犯罪であるとまで把握していたか否かは判断が難しい。少なくとも園城本人は、具体的な意図や目的はなにも聞かされていなかった、と未だに主張している。が、杏里の指示には逆らえなかった、というよりも逆らうつもりが彼にはいっさい無かったことは、たしかでしょう。松茂良国雄と同様、園城英治もまた彼女の精神的俘囚《ふしゅう》だった」

「いちばん間抜けなのが、蓋《ふた》を開けてみれば最初から、すべては無駄骨だったっていう。変なコントまがいのお芝居のアリバイ工作なんか、そもそも全然必要なかった、ってオチだよね。まあ結果論だけどさ。実行役の松茂良はもちろん、主犯の杏里にも疑惑の目が向けられる恐れなんて無かったんだから」

「これまで警察はあなたのところへ、例えば行谷杏里の件で話を訊きたい、とか。事情聴取にきたりしなかった？」

「うん。一度も」与文継は首を傾げた。「そういや、なんでだろ？　あ。園城の供述に、おれの名前が出てこなかったから、かな」

「杏里が適当なホストを〈トワイライト・コンドル〉から調達してくるという段取りさえ押さえておけばこと足りていた園城のほうからわざわざ、具体的に誰を連れてくるつもりなのか、とか彼女に訊いたりはしなかったのでしょう。事実、最初の小乾流人のケースではクローゼットの扉を隔《へだ》てて、彼と園城は一度も互いに顔を合わせてはいない」

「おれのときは鉢合《はちあ》わせしたものの、店の在籍期間が重なっていなかったため、初対面。だからおれの名前を知らなかったし、改めて杏里に訊いたりもしなかったわけか」

「杏里が松茂良邸に連れ込んだとされるホストたちとは、どこの誰なのか、園城はいっさい彼らの名前を把握していない。いきおい園城の供述の全体的な信憑性についても、警察は慎重にならざるを得なかった」

むろん〈トワイライト・コンドル〉の従業員たちにもひととおり事情聴取したものの、昨年の杏里殺害事件の時点で店を辞めて久しかった小乾流人の存在にまで警察は辿《たど》り着けなかった。ただし、仮に彼の話を聞けていたとしても、アリバイ偽装工作に利用されたという自覚が当の本人には欠けていた蓋然性《がいぜんせい》が高い以上、どのみち有益な証言を小乾から引き出すのは難しかっただろうが。

「杏里が家に誰を連れてくるつもりなのか、ちゃんと事前に名前や素性《すじょう》を把握するようにしておけば、彼女を殺したのが誰なのかを、園城も即座に告発できていただろうに、なんて、ひょっとしたら、お考えかもしれませんが。さて。それはどんなものでしょう」

「は？　なんで。杏里を殺した犯人は園城なんだから、そんなこと関。って。いや、園城なんでしょ？　そうだよね。おばさん、さっき、そう言ったじゃん」

園城が逮捕されたとは言ったが、彼が真犯人であると断定まではしていない。などと重箱の隅《すみ》をつついても仕方がない。「園城がいくら必死で訴えようとも、〈トワイライト・コンドル〉の従業員のなかに不審な人物はまったく見当たらなかった。少なくとも、昨年のホワイトデイの時点で現役だった者たちのなかには、ね。さて。それはいったい、なぜなのか。判りますか？」

「なぜもなにも。その夜、現場には園城ってやつしか居なかったから、でしょ。つまりそもそも、杏里が自宅へお持ちかえりしたホストなんて存在していない、と

……」

「すばらしい、そのとおり。大正解」

「へ」

「杏里は一旦外出し、帰宅した後で殺害された、という前提の時系列で園城はすべ

てを語っている。しかしそれは彼の、単なる思い込みに過ぎない。実際に杏里は〈トワイライト・コンドル〉へは行っていない。出かけようとしていた、ちょうどそのとき、犯人が家へやってきたからです。その人物はおそらく、松茂良邸は留守だとかんちがいしていた。窃盗目的で侵入したところ、そこで杏里と鉢合わせ。予想外の展開に動揺した犯人は護身用に所持していたナイフで思わず、杏里を刺してしまった。つまり杏里を殺した犯人とは、居直り強盗だったのです。想定外の殺人を犯してしまったことに慌てて、結果的にはなにも盗《と》らずに逃走しましたが」

「えと。でも、じゃあなんで、杏里の死体をわざわざクローゼットのなかへ隠したりしたの？　そんな必要なんか無さそうなのに」

「まさに、おっしゃるとおり。もしも居直り強盗が犯人だったのなら、被害者の遺体を隠すなんて手間をかける必然性は無い。現場は杏里が住んでいた家なのだから、そのまま放置してゆけばいい。それをわざわざクローゼットのなかに押し込む、だなんて。一刻も早く現場から遠ざかりたいはずの犯人にとっては、むしろ時間の無駄でしかないはず」

「だよね。うん。そうだよね」

「にもかかわらず、実際には杏里の遺体を隠しておいてから立ち去った。それには相応の理由があった、と考えられる」

「いやいやいや。だからそれはね、犯人が強盗だと決めつけちゃうから、矛盾するわけであって。前提となる根拠がそもそもおかしいんだよ、って話でしょ、これは」

「そもそも論といえば。居直り強盗だとしたら、なぜ松茂良邸に眼をつけたのか」

「そりゃテキトーに選んだんでしょ。もしも強盗なら、の話だけど。あくまでも、ね。この家なら金目のものがありそうだ、と当たりをつけて……」

「その人物がそう当たりをつけられたのは、以前にも松茂良邸のなかに入ったことがあったから、ではないでしょうか。例えば杏里に誘い込まれるかたちで、ね」

ここで与文継の眼が微妙に据《す》わった。わたしが捜査官としての現役時代、何度か手応えとして体験したその感触。「これはさほど突飛《とっぴ》な想像でもない。そしてその際に、その人物は他ならぬ杏里の口から、松茂良邸に関する、ちょっとした裏技を伝授されていたのです。すなわち、門扉《もんぴ》から玄関ドアへかけて飛び石を微妙に避けて通ればあなたの顔は防犯カメラに映らなくて済むわよ、という」

ちなみにこの点については、小乾も含めて、杏里にお持ちかえりされたことのあるホストたちの誰も、いっさい知らなかった。そもそもそういう助言を彼女に仰ぐという発想自体が無かったようで、なんのことはない、杏里の旦那の影に怯えていた小心者は与文継ひとりだけだったのだ。

「ママさん、お勘定」些《いささ》か硬めの笑みとともに与文継は唐突に立ち上がった。

「あ。お釣りは要らねえっすから」

小心者ゆえ、松茂良邸に忍び込むに当たっては事前に、杏里たちの動向を調べていただろう。おそらく彼女の来店予約の有無などを昔の同僚から聞き出すかどうかして。

杏里は当然、旦那の不在に託《かこ》つけて適当なホストを自宅へ連れ込むだろうから、彼女が戻ってくるまでに屋内の物色を済ませておかなければならない。そう前のめりに用心するあまり、杏里が出かけるよりも早くに侵入してしまい、要らぬ殺生をする羽目になる。

「その人物は昨年の犯行以前に、ただ杏里に松茂良邸へ誘い込まれたことがあるだけではない。くだんのアリバイ工作のためにクローゼットのなかに押し込まれた。一度そういう体験を経ていたからこそ彼は、杏里を手にかけてしまった後で、強い不安にかられた」

コートを羽織《はお》って〈KUSHIMOTO〉から出てゆく与文継の背中へわたしはそう声をかけ続けた。「その不安とは、このままぐずぐずしていたら杏里の旦那がすぐにここへ現れるんじゃないか？　という。そう、妄想です。これは理屈ではない。たったいまひとを殺《あや》めてしまってパニックに陥《おちい》り、とにかく杏里の遺体を、ひと目につかないところに隠しておかなければ、という、なんの意味も無い衝動と強迫観念に彼は駆り立てられてしまった。そういう経緯だったんでしょ？」

最後まで言い終えないうちに、カウベルが二度に分けて鳴る。戸外《こがい》の冷気を一瞬、店内へ運び込んできておいてからドアが閉じられた。わたしは与文継を追いかけようとはしなかったし、その必要も無い。今夜〈ＫＵＳＨＩＭＯＴＯ〉へ来る前に予め《あらかじ》、ほたるたちに店外での待機を要請しておいたからだ。加えて松茂良国雄の身柄も確保済み。

むろん与文継が取り調べに応じるか否かは任意だし、現段階ではこれといった物的証拠が揃っているわけでもない。しかし、もはやそれで彼が逃げ切れるほど甘い状況でもないのだ。与文継はたったいま、自らの行動で言外にその罪を認めてしまった。

これまでは運よく誰の視線にも曝《さら》されず、舞台裏にずっと潜伏していた竹俣与文継という存在は、もうクローズアップを免れない。仮にここで中座せず、わたしの説明に最後まで軽く調子を合わせていれば、あるいはまた別の展開が望めたかもしれないが。

与文継は、こらえ切れなかった。黄泉の国のものを口にしてしまった者は、もう二度と現世へは戻ってこられない。

〈つづく〉

すべての神様の十月（三）

最終回

地味過ぎる

小路幸也
Shoji Yukiya

霊感《れいかん》、って言えばいいんだろうか。

超能力ならなんかカッコいいんだけど、たぶん違うんだろうなと思う。違わないのかな。普通の人間が持っている能力を超えたものなら、超能力って言っちゃっていいのか。でも、幽霊みたいなものを見るとか感じるとかって、超能力とか言わないよね。

そんなものいらないって思ってるんだけど、どういうわけかそういうものがあるみたいで。

本当にいらない。

コワイ。

ものすごく怖がりなのに、どうして幽霊みたいなものや、妖怪《ようかい》っぽいものや、そういう変なものが、カッコよく言うと不可思議なものがいることを、あることを感じてしまうんだろうって。

いちばん最初の、自分で覚えているのは幼稚園の入園式のときだ。

みんな同じスモックみたいなものを着て、並んで椅子《いす》に座っていて、お父さんお母さんお祖母《ばあ》ちゃんやお祖父《じい》ちゃんみたいな人たちが後ろに立っていて。

わたしは、他のみんなもそうだったけど、後ろを振り返ったりあちこち見たり。

今から思えば三歳とか四歳とかの子供にじっとしてろっていうのがムリあるよね。

そこに、一人だけ変な人がいたんだ。わたしのお母さんの斜《なな》め後ろにいた、誰かのおばあちゃん。

違う、って思った。感じた。あの人は、誰かのおばあちゃんなんだろうけど、普通の人じゃないって。そのときはまだ四歳でどうやって表現していいかわからなかったけど、今ならまるでスライムみたいな身体《からだ》って言う。

透明《とうめい》じゃないんだけど、透明感のある身体。服を着ているけれどその服にも透明感がある。透けて見えるんじゃなくて、本当にスライムで作られた人形みたいな、人間。

変だって思ってじっと見てしまった。

わたしのお母さんが、わたしが後ろを見ているのに気づいて、前を向きなさい、って感じで口をパクパクしたり手を振ったりしているのがわかったけど、どうしても目を離せなかった。

たぶん、五秒とか十秒とかそれぐらいの時間。そのスライムみたいなおばあちゃんは、そのうちにゆっくりと消えていった。

きっと、同じ幼稚園に通う誰かのお祖母ちゃんだったんじゃないかなって、今は思ってる。

それからわたしは、スライムみたいな人たちを見るようになってしまった。違うか、そういうのを見るんだってわかってしまったんだ。

お父さんとお母さんに何気なく訊《き》いたことがあるんだ。

わたしが赤ちゃんのとき、なんか変な子じゃなかった？　って。変なって、どんなふうに、って笑ってお母さんは聞き返してきたけれど、お父さんが言ってた。お前は猫みたいだったって。

突然、何にもないところをじっと見つめてたりしたなって。本当に猫だよね。猫ならあれは何かを見てるんじゃなくて、音を聞いてそっちの方向を見てるだけなんだろうけど。

スライムみたいな人は、たぶん一般的に言うところのお亡くなりになった人たちだと思うんだ。

小学校の高学年ぐらいになったときに。妖怪っぽい感じのする人に会った。いや、本当に妖怪なんていないとは思うんだけど。

その人は、スライムっぽく見えるんじゃない。本当に、ただの普通の人に見える。でも、何かを纏《まと》っているんだ。

纏っているっていう表現をその頃に覚えたんだけど、まさしくそれだ！　って思ってしまって。

普通の人なんだけど、何か空気の塊《かたまり》のようなものを纏っていて、それがきっととんでもない力を持っているってわかってしまう。どう言えばいいかよくわからないんだけど、マッチョな人を見たら「力強いんだろうな」って思ってしまうような感じ。

妖怪というか、それこそ超能力者？　みたいな？

そういう人が、この世界にいるってことがわかってしまう。見えてしまう。

いいんだけど。

別にわたしに何かが起こるわけじゃない。そういう人たちが何かしてくるわけじゃないから、ただコワイだけだから、まぁ実害はないからいいんだけど。いや、イヤなんだけど、アレルギーみたいなものでそういう体質なんだって思えば、しょうがないかって感じ。わたし、健康体だし。友達でけっこうアレルギー持ってて悩んでる子がいるから、そういうのに比べたらまだマシかなって。

いや比べるものじゃないってのはわかってるけど。

いつものショッピングモールのフードコート。

土曜日の午前中に吹部《すいぶ》の部活やって、その後美和《みわ》ちゃんはここのうどん屋さんのバイトなので、その前に美和ちゃんと並んで座ってお昼ご飯にチキン食べてから、アイス食べていたんだけど、そこにいたんだ。

妖怪っぽい人。

普通の男の人が二人。

なんか、作業着っぽいものを着て、テーブルに座ってうどん食べている。

美和ちゃんはわたしがそういうものを見るって知ってる唯一《ゆいいつ》の友達。親友。だから、いるわー、って言ったら、美和ちゃんがその男の人を見て言った。

「見えるけど」

「あ、見えてるのね」

普通の人にも見えるときがあるんだよね。

「地味だよね」

「あー、まぁ地味だね」

本当に普通の男の人にしか見えない。年は、わかんないけど三十代ぐらいだろうか。一人は細くて、もう一人はまるっとしてて。

そういえば、二人並んでいるっていうのは初めて見たかもしれない。

「いや、あの二人も地味だけど、萌絵《もえ》のその霊感が地味《じみ》だってこと」

「地味」

「だって、見える、っていうだけで怖くも何ともないんでしょ？」

「いや、怖いよ？　だって人間じゃないのがそこにいるんだよ？」

「ビジュアル的によ。全然普通の人間じゃない。見えるのが」

まぁ、そう。

確かにビジュアル的にはまったく怖くない。

「そういう意味で、地味。全然バズらない」

「バズらなくていいし」

そもそも普通の人には見えないんだから。

「あの二人も、纏ってるの？」

「纏ってるね」

空気の塊のようなもの。

「空気って眼に見えないじゃん」

「見えないよね」

だから、スライムじゃないけど。

「寒天？　ところてん？　そういう透明だけど眼に見えるものが周りにあるのよ」

「違いはないの？」

「違いって？」

「あの二人とも、まったく同じ寒天を纏ってるの？」

同じ、かなぁ。

じっと見る。二人ともこっちに背を向けているから、気づかれないと思うから。

「微妙に違うかな。強《し》いていえば、右の男の人は柔らかい感じがあって、左の人はちょっと硬《かた》い感じ。グミとアメぐらいの違い」

「なるほど。じゃあ、あの二人が妖怪だとしたら、その能力の違いが現れてるのかもね。一人は猫娘《ねこむすめ》で一人は砂《すな》かけ婆《ばば》ぁぐらいの」

「いや二人とも男だし」

でも、そういう解釈もできるか。本当に妖怪かどうかはわかんないんだけど。

「前から思ってたけど、ゼッタイに話しかけたりするんじゃないよ？」

「しないよぉ」

ビジュアルは怖くないけど、本当に怖いんだから。

人間じゃないものがそこにいるって。


バイトに入った美和ちゃんと別れて、うちへ帰る。

大きなショッピングモールだけど、国道の向かい側には田んぼがあったりする田舎《いなか》の町。田舎っていうほど小さな町じゃないけど、でも確かに田舎なんだよね。田んぼも畑もたくさんある。

高校とモールと家がちょうど三角形で結ばれる形で、どっから歩いても十五分か二十分なんだよね。だから、いつも歩き。チャリを使ってもいいんだけど、歩く方が好きだし、途中からうちの田んぼや畑のあぜ道というか農道歩いた方が近いし気持ちよいから。自転車だとそこは走りにくいからね。

うちも、農家。もう何代も前からここで農業をやってる。畑もやってるしお米も作ってる。わたしは一人娘で、小さい頃からお手伝いとかしていたからいつでも家の仕事を継《つ》げると思うんだけど、高校を卒業したら大学に行こうって思ってる。

いろいろ勉強した方がいいって。実家の仕事を継ぐのはいつでもできるし別に継がなきゃならないものでもないんだから、自分のやりたいことを見つけるまで勉強しろって親が。

　でも、一応は好きなんだよね。農業。土の匂《にお》い、水の匂い、育っていく作物の様子。美味《おい》しいお米に、美味しい野菜。そういうものを作っていく。一次産業は、本当に国の根幹なんだっていうのも理解できてる。

　しばらく、良い天気だった。

　この間、大雨になって近くの川が氾濫《はんらん》しちゃってうちの方まで少し冠水《かんすい》してしまったんだ。水はもう引いたし、畑や田んぼへの被害は全体の三分の一ぐらいですんだんだけど、それでも結構な被害。

　全部、やり直しなんだよね。水に浸《つ》かってしまったところは。もう最初の土作りのところからやりなおし。そうしないと、いい作物もお米も育たない。しばらくは苦しい経営が続くだろうなーっていうのはわたしでもわかるけど、それでもまぁ何ともなかったところもたくさんあるから、何とかなるってお父さんも言ってたけれど。

（お？）

　堤防に近い方の、向こうの畑に人がいる。冠水したうちの畑だ。うちの誰かじゃない。作業着っぽいものを着た、男の人。

（どこかの業者の人？）

農機具とか、そういうところの人はよく作業着を来てやってくるけれど。

(あれは)

え、さっきフードコートでうどん食べていた妖怪の二人じゃないかって。

いや、妖怪かどうかはわかんないんだけど、身体に空気の塊みたいなものを纏っている男の人二人。

そういえば、さっきは顔を見られなかったからわかんなかったけど、ひょっとしてトラクターとかの修理なんかに来てくれたことのあるメーカーの人? なんとなく覚えがあるようなないような。

でも、前に見たときには妖怪だなんて思わなかったはずだから、同じメーカーさんの別の人?

何か二人で話しながら畑を見ている。

行ってみる。うちの畑を見ているんだから、きっとうちに用事で来たはずなんだ。反対側に、あれはおじいちゃんだな。そしてお父さんもいるけれど、特にあの二人を気にしている様子もない。

ってことは、おじいちゃんもお父さんもあの二人が何をしているのか、知ってるのかな? どうなんだろ。

でも変だよね。畑に何かあったんなら一緒にいるよね普通は。

近くまで歩いて来たけど、気づいていない。まだ二人で話している。

「あのー」

ちょっとびっくりした感じでこっちを見た。

うん、やっぱりうちに来ているメーカーの人だ。同じ作業着を着ているけど、初めての人だ。

「ここの畑のものですけど、何かあったんですか？」

「あぁ！」

細い方の男の人が、大げさにポン！　って手を打った。

「娘さんね！　高校生の！」

「はい、そうです」

ＪＫです。萌絵です。

まるっとした方の男の人は、ちょっと不思議そうな顔をして、わたしを見てる。

「いや、ちょっと様子を見ていたんだよねー。冠水しちゃったっていうからさ。土の具合なんか見て、この後の耕《たがや》すのをどうするのかなーとかね」

「あ、そうなんですか」

そんなことまで考えてくれるんだ。わざわざ来て。じゃあそれはもうお父さんにも言ってあるのかな。

「おい」

まるっとした人が、細い人を突っついた。

「なに」

「なにじゃないよ。この子、俺たちのこと見えてるじゃないかよ」

「あ」

あ？

見えてる、って。

細い人が、わたしを見る。

「そういえば、そうですね。見えてますね」

見えてますけど。

「ええっとね。あ、じゃあこれ持ってください」

これ？　細い人がポケットから軍手を取り出して、渡してきた。汚れていないきれいな軍手。ポン、って放るから思わず受け取っちゃったけど。

「はい、これであなたも見えなくなりました」

「見えない？」

「向こうに、あなたのお父さんとお祖父ちゃんがいますよね？　それを持たないいま私たちと話しているると、二人はうちの娘は何であんなところに一人で立って、独り言を言っているんだろう？　って不思議に思っちゃいます。どこかおかしくなったかと思われちゃいますよ」

え、それって。

「試しに、お父さんを大声で呼んでみてくださいよ。まったく聞こえないし、見えていないですから」

呼ぶの？

呼んでみた。

「お父さーん!!」

もうこれ以上ないってぐらいに大声で叫んだんだけど、お父さんは全然何も反応しない。たぶん、草取りをしている。

本当に聞こえないんだ。見えないんだ。

じゃあ、この人たち。

☆

「神？」

今、神って言った？

〈土の神〉だって。細い男の人が。

「一応名前は細川《ほそかわ》と言います」

細川さん。

身体の特徴そのまんまなんですね。

「じゃあ、そちらの方は丸川《まるかわ》さんで同じく〈土の神様〉ですか」

「よくわかりましたね。でも名前は確かに丸川ですが、こいつは〈火の神〉です」

火の神。

「まぁそう言ってもすぐには信じてもらえないでしょうけど、あなた私たちが見えるってことは、普段から変なものを見てしまう性質を持った子なんでしょう？」

「そう、です」

素直に言う。

なんか、隠してもしょうがない気がする。だって、さっきからこの二人の周りに見える空気の塊みたいなものが、どんどん濃く見えて、さらには動いているんだもん。

　妖怪だったんじゃなくて、神様なのか。

「じゃあ、幽霊とかも見ちゃう人でしょうね」

「たぶん、そういうのも見てます」

「いやすごいなぁ。僕らは見えませんからね」

「え、神様なのに？」

「全然。まるでスタンスが違いますからそういうのと僕らは。そもそも幽霊なんていうものがいるかどうかもわかりませんよ。やっぱりいるものなんですねー」

　いるものなんですねー、って。

　なんか、いろんなものがガラガラと崩《くず》れていくような気がする。神様って、こんな感じなの？

「〈土の神〉に、〈火の神〉ですか」

「そうなんですよねー。なんかピンと来ないでしょ？　〈土の神〉に〈火の神〉ってね」

「風の神様っているじゃん。〈風神《ふうじん》〉。知ってるだろ？」

　丸川さんが言う。

「知ってます。その名前は聞きますね」

「ちゃんと言いやすくていいよなあいつら。〈風神〉ってちゃんと一発変換されるんだからさ。だいたい人間は皆知ってるんだ。しかもあいつら本当に自由でいいんだ」

自由なんですか。

風神様は。

「いいよね本当に。キャッキャ騒いでいるだけなんですよね。なんかもう見た目通りに子供のようにただずーっと走り回っているだけでほぼ何にもしてないのに、〈風神〉なんてカッコよく呼ばれててね」

「セットで〈雷神《らいじん》〉ってのもいるしな」

「あれもいいですよねー。もうどうしようもないぐらいにカッコいいですもんね雷とか稲妻とか。怖いけど〈雷神〉！　ってもう呼ぶだけでカッコいいですよね」

確かに。

「ほら、あんたも知ってるだろうけど、水の神様もたくさんいるじゃないか。〈水神〉って呼ばれてさ」

水神も、確かに一発で変換できますね。

「あいつらもいろいろいるんだよ。〈龍神〉なんてのは水の神様だからな。聞いたことあるだろ？　あれもカッコいいんだ。そもそも龍ってのがカッコいい」

カッコいいのは確かですけど、何か、この人たち、いや神様たちなんだろうけど、軽い。軽過ぎる。

「でもさ、えーと、名前は萌絵ちゃんだな。名前を訊かなくてもわかるって神様っぽいだろ？　そういう能力はちゃんとあるんだぜ。萌絵ちゃんさ、〈土の神〉って聞かないだろ？　むしろ今初めて聞いたろ？」

「初めてです」

全然聞きません。〈土神〉と書いてどじんと呼んだら放送禁止用語と間違えられますきっと。

「〈産土神《うぶすなかみ》〉っていうのは、ひょっとしたら聞いたことあるかもね」

「あ、それはなんかあります」

「ありゃあその土地の神様だろ。要するに守り神だよ。そうじゃなくて、文字通りの〈土〉の神様だよ」

「あの、ギリシャ神話でガイアっていうのがあるって」

「それは地母神《ちぼしん》だろうけど、全然意味合いが違うだろ。そもそも西洋と東洋じゃ人間の考え方が全然違うから、神様もまったく変わってくるんだよ」

そういうものなんですね。

「要するにな、〈福の神〉とかさ、〈貧乏神〉とか〈疫病神《やくびょうがみ》〉に〈風神〉だって〈雷神〉だってわかりやすい仕事ができてるし皆知ってるけどさ。俺らみたいな〈土の神〉に〈火の神〉って、何をしてるか誰も思い浮かばないし、一発変換してもらえる名前すらないんだぜ？」

それも、確かにそうですね。

「ないんだよねぇ。その昔は火の神は〈竈神《かまどがみ》〉なんて呼ばれたけどね」

「それこそただの竈だろう。〈九十九神《つくもがみ》〉と間違えられてたじゃないか」

「そうなんだよねぇ。そもそも君は火が点《つ》く、っていうのが仕事だからさぁ」

火が点くのが仕事？

「誰も神様の仕業だなんて思わないよな。だから火神って名前も出てこないんだよ。萌絵ちゃんまさかライターなんて持ってないよな？」

「持ってません」

「まぁ、じゃあこれ貸すから、火、点けてみて」

丸川さんがポケットから百円ライターを出して、渡してくれた。

「点け方ぐらいはわかるだろ？」

「わかります」

こうやって持って、ここを押す。

カチッと音がして、火が点く。

「点くだろ？」

「点きます」

「じゃあ消して、もう一回やってみて」

カチッ。

「あれ、点きません」

「な？ 俺が点かないって決めたら点かないの。火。効力は大体半径百キロ」

百キロ。

「え、じゃあ半径百キロごとに〈火の神〉様がいないと、何をやっても火って点かないんですか？」

「点かない。自然現象以外ではな」

「自然現象って」

「落雷とかさ、あるだろ。人間の手以外で勝手に火が点いちゃうことがさ。ああいうのは別」

そうなんだ。

「たまにあんだろ。ガスレンジが故障したわけでもないのに、いくらスイッチ入れても火花だけ散って点かないときとか、湿ってるわけでもないのにマッチを擦《す》っても点かないとかさ」

「ありますね」

あれ点かない、って何度も何度もやったら点いたっていうとき、ある。

「ああいうのはたまたま俺たちの効力範囲がズレたときだな。滅多《めった》にないけどあるんだよ」

効力範囲がズレる。

「こう、半径百キロの〈火の神〉様の効力範囲がちょっとズレちゃったときに、ガスレンジは点かなくなっちゃう」

「そうそう。まぁそんなことは滅多に起こらないように、俺ら〈火の神〉はそこら中にたくさんいるから。普通にこうやって人間の格好をして暮らしてるからさ」

じゃあ、わたしがたまに見ている妖怪だと思っていた人は、みんな〈火の神〉様だったんだろうか。

「〈火の神〉様がいなくなっちゃったら」

「ならないよ。安心しな。俺らそこら中にたくさんいるし、いなくならないから。人間がこの世から全て消え失せない限りはな」

そういうものなんだ。

「じゃあ、〈土の神〉様は」

「僕たちの仕事は地味過ぎるんだよねー。あちこちの農地に行ってしばらく暮らしてそこの土を良くしてやるのが仕事なんだけど、誰も気づいてくれないんだ。いや、気づくよ？　ちゃんと農業やってるプロなら自分のところの畑の土が良くなっているのに。でもそれは大抵《たいてい》の場合、自分がきちんとやったからだってなるんだよね。そしてその通りなんだけどさ」

土を、良くする。

「土壌《どじょう》の改良ってことですか？」

「そこまで大げさじゃないかな。僕がやるのは、そこの土地に合った、そこで育てる作物に合った土になるように、ほんの少しだけ手を貸してやるだけなんだけどさ。ちょっと見てて」

細川さんが、うちの畑に、冠水しちゃった畑に手をかざした。

「よーく見て。地面に近づいて」

しゃがんだ。土を見た。

「あ」

なんか、土が動いている気がする。動くっていうか、震えている？

「土が震えてます」

「そう、それ僕が今やってるの。本当に地味なんだ。文字通り、〈地の味〉をちょこっと変えるだけなんだ」

「地の味」

「土の味ね。大きな意味では土壌の改良だろうけど、めちゃくちゃ収穫できるようになるとかそんなこともない。いややろうと思えばできるけど、そんなことしたら大騒ぎになっちゃうから」

「ですね」

喜んじゃうけど、確かに大騒ぎになるかも。

「その気になればもっと土を動かして地震っぽいものをやったりもできるけど、そんなことしても何にもならないし。まぁ耕耘機《こううんき》の代わりに耕してやることもできるけど、それは人間がやることだからね。僕たち〈土の神〉の仕事は、ほんのちょっと手助けしてやるだけ。今、ここは冠水しちゃって土が汚れちゃったけど、僕がやったからほぼ元の状態に戻ってるよ」

「元の状態に」

「後で、お父さんやお祖父ちゃんが見に来て、あぁこれなら大丈夫かってわかるはずなんか、凄《すご》い。確かに地味だけど、ものすごく大事なこと。

「あの、神様って本当にいるんですね」

こうやって目の前にしちゃうと、全部素直に信じられる。

「凄いですね神様」

　土の神様、火の神様。一発変換できる名前がなくても、ものすごい神様。

「凄くないよ。僕たちは人間がいないと何もできないし、この世に存在さえしなくなるものだから」

「え、そうなんですか」

「決まってるだろ。人間がいなかったら、神様の皆、仕事がなくなっちまうだろ。つまり存在が消えるってこったよ」

　神様の、仕事。

　細川さんが、優しく微笑んだ。

「僕たちたくさんの神様は、人間のために生まれてきたし、人間がいるから生み出された存在だよ。たとえば、人が幸せを望まなければ〈福の神〉は消える。人が悪いことを悪いと認識しなくなったら〈疫病神〉は消える。人が作物を必要としなくなったら〈土の神〉も消える」

　そうなのか。

「安心しな。人間が、生き続けるという希望を持っている限り俺たちは消えないからよ」

　生き続けるという、希望。


〈了〉

きたきた捕物帖　第四十六回

気の毒ばたらき

その十二

宮部みゆき

Miyabe Miyuki

イラスト：三木謙次

十二

お染《そめ》の亡骸《なきがら》の検視には、与力《よりき》の栗山《くりやま》周《しゅう》五郎《ごろう》があたった。

栗山の旦那《だんな》は、検視にかけては右に出る者がない腕前と経験を持っているものの、いささか気難しい上に、興味がわかない案件には釣《つ》り鐘《がね》並みに腰が重たくなるお方だ。今回も、ただ大川《おおかわ》の百本杭《ひゃっぽんぐい》で見つかった女の土左衛門《どざえもん》だというだけでは、洟《はな》も引っかけてくれなかったろう。それを見越《みこ》した沢井《さわい》の若旦那が、わざわざ足を運んで事情を説明してくれたことで、お御輿《みこし》をあげてくれたのだった。

亡骸は既《すで》にそうとう傷《いた》んでおり、痛ましい臭いを放っていた。百本杭のそばには大きな武家屋敷が並んでいるから、亡骸を土手に引き上げたままでぐずぐずしていると、お叱《しか》りを受けてしまう。幸い、両国橋《りょうごくばし》の橋番は手慣れており、すぐ戸板と人手を貸してくれたので、お染の亡骸は近くの尾上町《おのえちょう》の自身番に運び込まれた。

月番は地主の雇人《こにん》なのだろう、きびきびした若者で、亡骸の顔に白い手ぬぐいをかけ、枕元で線香《せんこう》を焚《た》いてくれた。そこへ栗山の旦那が駆けつけてきて、あの特徴のある塩辛声《しおからごえ》で、

「このあいだの、千吉《せんきち》の文庫屋を焼いた放火《つけび》の下手人《げしゅにん》らしいな」

真っ先に北一に声をかけ、

「まず死因をはっきりさせねば、おまえたちの胸の靄《もや》が晴れぬだろう。その上で、この女が真の下手人なのか、それを見定める手がかりも探してみよう」

任せておけ——と言い置いて、検視に取りかかった。

今の北一は、正式に手札《てふだ》を頂戴《ちょうだい》したわけではないけれど、栗山の旦那の子飼いの岡っ引き見習いという立場にいる。まあ、何となく流されてそこへ行き着いてしまった立場ではあるが、北一にも不本意なことではない。少なくとも、栗山の旦那の下についていれば、検視の知識を得ることができるのは確かだ。

だから本来なら、弁当屋〈桃井《ももい》〉の事件の際と同じように、栗山の旦那のそばに付き従い、細々《こまごま》した手伝いをするべきなのだが、今回は我慢するのが筋《すじ》だ。

「おまえが手を出すと、お染が下手人だと決めつけている向きから、検視の結果にけちをつけられるかもしれんからな」

北一は軽く目を見張《みは》り、沢井の若旦那の横顔を見た。あっさりした言ではあるが、お染が下手人だと思いたくない北一の心中を思いやってくれている。

「へえ、心得ております」北一は、ぺこりと頭を下げた。鼻の奥がつんとした。

若旦那は歯切れのいい口調《くちょう》で続けた。「亡骸の身元を確かめるために、万作《まんさく》とおたまと、お染がごみ箱に火をつけるところを見たという紙くず買いの爺《じい》さんを呼びにやった。おっつけ来るだろう」

百本杭の土左衛門が、引き上げられてすぐに、深川の文庫屋の女中・お染だと見分けられたのは、放火の下手人としてのお染の人相書《にんそうが》きがばらまかれていたからである。亡骸の顔は膨《ふく》れ上がっていて生前の面影《おもかげ》がなかったようだが、背格好《せかっこう》と身につけていた着物と帯の色柄《いろがら》が手がかりになったのだ。

それでも、お染をよく知っていた人びとを呼んで、直《じか》に確認させる必要はある。

「おまえ、他に誰か思い当たる者はいるか。できたら、その三人とは違う立場の者がいい」

それはつまり北一と同じく、お染が放火をしたなんて信じたくない側の者だ。ならば、真っ先に浮かぶ顔がある。

「文庫屋の近所のお仲《なか》さんていう――」

「旨《うま》い煮売り屋の女か」

沢井の若旦那もご存じだ。

「そういえば、同じくらいの歳《とし》だったか。お染と親しくしていたんだな」

すぐ呼んでこい、と命じられたので、北一は深川元町《ふかがわもとまち》に走った。煮売り屋に着いてみると、お仲は火の気のない竈《かまど》の前に座り込んでいた。大きな鉄鍋《てつなべ》は木蓋《きぶた》がされたままだ。近所の連中が心配そうに遠巻きにして、様子を窺《うかが》っている。

前回までのあらすじ

北一《きたいち》は、岡っ引き・千吉《せんきち》親分の本業だった文庫の振り売りをしている。「長命湯」で釜焚《かまた》きをしている喜多次《きたじ》は、よき相棒だ。ある日、万作《まんさく》・おたまの文庫屋が火事になり、焼け落ちた。北一は、火をつけたのが女中のお染《そめ》だと聞き、調べ始める。そんななか、北一が喜多次の協力を得て、湯屋に居合わせた盗人《ぬすっと》と思われる男たちの後をつけると、指南役の男は「六」のつく屋号の店の者、手下は飾《かざり》職人と生薬屋《きぐすりや》の奉公人だと判明する。そこへ、お染と思われる土左衛門《どざえもん》があがったと報《しら》せがくる。

「ごめんなすって、お仲さん」

北一の声にはっと顔を上げる。お仲は既に目を真《ま》っ赤《か》に泣きはらしていた。

「大川の土左衛門、お染さんだったの？」

「まだ決められねえ。それで、お仲さんに手伝ってほしいんだ」

お仲を連れて尾上町の番屋にとんぼ返りしてみると、番屋のお白洲《しらす》の前に長腰掛けが据《す》えてあり、そこにおたまと爺さんが並んで座っていた。見張り番には沢井の若旦那の中間《ちゅうげん》がついており、それでなくても獅子頭《ししがしら》みたいな顔をしているこの人がものすごく気合いを入れて睨《にら》みをきかせているせいだろうか、おたまは深くうなだれており、爺さんはひどく怯《おび》えていた。

沢井の若旦那は、半分だけ閉めた番屋の腰高障子《こしだかしょうじ》のあいだに半身《はんしん》を入れ、顔は番屋の奥の方へ向けている。ぼそぼそとやりとりする声は、栗山の旦那のあの塩辛声と、

――万作さんだ。

お仲はおたまに近寄りたくないのか、北一と一緒に番屋の前で立ったまま、呼ばれるのを待った。万作が出てきておたまが呼ばれ、すぐに出てきて紙くず買いの爺さんが呼ばれ、今度はなかなか出てこなくって、お仲が一つ、二つとくしゃみをした。着の身着のままで飛び出してきたので、薄着《うすぎ》なのだ。

「おいら、近所で半纏《はんてん》でも借りてくる」

北一がそう言ったとき、沢井の若旦那がお仲を呼んだ。目を細めて北一を見ると、

「おまえはまだ入るな」

そしてお仲を手招きする。腰高障子の前で、

「気をしっかり持てよ。お仲に確かめてもらいたいのは、この女が身につけていたものが主で、顔は見せんから安心していい。口で息をして、目が回ったり胸が悪くなってきたら、すぐに言うんだぞ」

お仲が震《ふる》える声で「はい」と応じる。腰高障子が開き、番屋のなかに入っていく。沢井の若旦那は、さっきまでのように腰高障子を半分閉めながら、

「おまえはもうお役御免《ごめん》だ。帰っていいぞ」

紙くず買いの爺さんに声をかけた。番屋を出たところで身を縮《ちぢ》めていた爺さんは、気の毒なほど背中を丸めてぺこぺこしながら、獅子頭顔の中間から商売道具の背負い籠《かご》を返してもらって、そそくさと立ち去った。

長腰掛けに並んで座る万作・おたま夫婦と、北一の目が合った。

万作の目は、元気のない犬のようだった。おたまの目には、腹を減らした猫のような鋭《するど》い光があった。さて、その目と見合っている自分の目には何が宿っているの

何を言ってるんだ、この兄《あに》ぃは。

顔をしかめて問い返すと、万作は喉《のど》をごろごろ鳴らして咳払《せきばら》いをして、もう一度言った。

「え」

万作の言が、北一にはすぐ理解できなかった。

「――もう、うちは商《あきな》いをたたむ」

だろうと、北一は考えた。

「お上《かみ》のお咎《とが》めは過料《かりょう》で済んでも、火元となっちまったからには、あの場所で商いを続けられねえ。親分に合わせる顔もねえ」

千吉親分の文庫屋だった。親分の〈朱房《しゅぶさ》の文庫〉で賑《にぎ》わったお店だった。

それが、親分の急死から一年経《た》たぬうちに、失《な》くなっちまった。

――おいらたち、子分はみんな、救いようのねえ役立たずだ。

北一の胸の奥に、センブリみたいな苦《にが》みが広がってきた。

「北一、おまえの店で、親分の朱房の文庫を継いでくれ」

万作兄ぃ。そんな大事なことを、こんな場所でぺろりと口にして済ませるのか。

「そういう話は、おかみさんの前でしよう。おかみさんに決めていただかねえことには、義理が立たねえ」

「そんなのわかってる」

物を投げつけるみたいな勢いで、おたまが言葉をぶつけてきた。

「ちゃんとおかみさんには挨拶《あいさつ》に行くさ。ただ、あんたもそういう腹づもりでいろって、うちの人はわざわざ頼んでるんだよ」

獅子頭みたいな顔をした中間が、目玉をぎょろりと動かして、北一たち三人の顔を見回した。その目つきからすると、誰の味方をするわけでもなさそうだった。

「いちいち生意気《なまいき》なことを言うけど、北一、あんたなんか子分の下の下の下だったくせに、親分の一の子分だったこの人に義理を立てたことなんか、いっぺんもないじゃないか」

下の下の下ときたぞ。

「冬木町《ふゆきちょう》のおかみさんが、最初《はな》っからあんたびいきだったから、うちの人のことバカにしてさ。今だって、こっちには挨拶なしで〈朱房の文庫〉を名乗ってる」

おたまの声はいつもながら甲高《かんだか》く耳障《みみざわ》りだが、あのキャンキャンした響きはない。さすがに、そこまでの元気はないのだろう。

「万作さんとあんたがおかみさんを大事にしてたら、おいらなんかが出しゃばる必要はなかった」

北一の口から、紙っぺらみたいに平らな声が出た。それくらい薄べったくしないと、ただの怒声になってしまう。

「ふん。大事にするもしないもないよ。おかみさんはあたしのことが」

「嫌《きら》ってねえよ。おかみさんはおたまさんのこと、嫌ってねえ」

おたまの口が開いたまんまになった。万作がゆっくりと瞬《まばた》きをして、おたまの方に目を向けた。

次に何を言おう。どんな言葉をぶつけてやれば気が済むだろう。きっちり言い返したことになるだろう。だけど、もうそんなことをする意味があるのか。千吉親分は、おいらたちがこんなことでいがみ合うのを、あの世で喜んでるわけがねえ。

そのとき、沢井の若旦那の声がした。

「三人とも、こっちへ来い」

万作とおたまは、（まだ続くのか）という疲れと恐れにゆがんだ顔と顔を見合わせた。おたまが長腰掛けから立ち上がるのを、万作が支えてやる。

北一は夫婦の後について番屋の中に足を踏み入れた。沢井の若旦那は、外で見張る獅子頭顔の中間に二言三言《ふたことみこと》何か命じると、出入口の腰高障子をきっちり閉め切った。

大川から引き上げられた女の亡骸は、戸板に載《の》せられたまま、番屋の土間《どま》に置かれていた。今はその上に、座布団《ざぶとん》くらいの大きさの筵《むしろ》が何枚も重ねられていて、ぜんたいを覆《おお》われていた。土間のまわり、高いところにも、戸板の四隅《よすみ》にも、百目《ひやくめ》蠟燭《ろうそく》が灯《とも》されている。障子窓から入る日差しもあり、あたりは明るく照らされている。そのおかげで、戸板の向かって右側の短い辺の方に配されている筵の下から、もつれた長い黒髪がはみ出しているのが見えた。あちら側が頭なのだ。

戸板の向こう側には、亡骸が身につけていた着物や帯、紐《ひも》、襟《えり》などがたたんで並べられている。その全《すべ》てから水が染《し》み出て、土間を黒く染《そ》めていた。

「戸板に触らないように、できるだけ近くに寄りなさい」

亡骸の頭の側に膝《ひざ》を折ってしゃがみ込み、枯《か》れたようなしょっぱいようなあの濁《だみ》声《ごえ》で、栗山の旦那が北一たちに言った。駆けつけてきたときの黒羽織《くろばおり》姿ではなく、〈桃井〉の検視のときと同じ筒袖《つつそで》と股引《ももひき》の組み合わせだ。股引の裾《すそ》と、足首のところで結ぶ細い紐が、亡骸から染み出た水のせいだろうか、薄黒く汚れている。

お仲は、栗山の旦那の背後に隠れるように、番屋の壁《かべ》に背中をくっつけて、土間に正座していた。手ぬぐいで顔を押さえているので、表情がわからない。

若い月番は、土間から上がった四畳半に据えた文机《ふづくえ》に向き合って、真昼の月のように真っ白な顔をしていた。ちらりと北一と目が合うと、口の動きだけで（おやくめごくろうさまです）と言ってくれたようだった。

これがお役目なのだとしたら、北一は目がちかちかしたり、吐《は》き気《け》がしたりするものだろうか。だけど実際には目がまわり、今にも胃の腑《ふ》がでんぐり返りそうだった。

「皆、手ぬぐいか首巻きか、懐紙《かいし》でもいいから口を塞《ふさ》いだ上で、口で息をしろ」

栗山の旦那の声が聞こえた。

「万作、おたまを起こして、上《あ》がり框《かまち》に座らせてやれ。月番、奥の窓を開けてくれ。もう風を通してもかまわん」

万作とおたまが奥の四畳半に近いところに移ったので、北一は戸板の手前側にしゃがんだ。沢井の若旦那は戸口に仁王立《におうだ》ちしたままで、お仲も壁際《かべぎわ》から動けないようだ。

「北一、この亡骸はお染に間違いない」

栗山の旦那の目が、北一を見る。

「顔は判別が難しいが、手の形、足の大きさ、身につけているもの、それとお仲が覚えていた、胸元の目立つところにあった大きな黒子《ほくろ》が、お染の特徴と重なった」

そしてそれ——と、くるくると巻いてある細い帯紐を指さした。大川の水が染み込んで灰色になっているが、元は何色だったのか。

「これもお仲が覚えていた。三年ほど前の春先、お染と一緒に浅草観音《あさくさかんのん》に詣《もう》でたときに、境内《けいだい》の出店《でみせ》で売られていた帯紐を買ったそうだ」

栗山の旦那の言を受けて、お仲がようやく顔を上げた。

「あたしは若草色の、お染さんは桜色の帯紐を買ったんですよ。織《お》りがちょっと変わっていて、小さい格子縞《こうしじま》みたいな地模様《じもよう》が入っていたものでした」

北一は手を伸ばして、亡骸のそばの帯紐を持ち上げてみた。水を吸い込んでずっしりと重い。目をこらすと、小さい格子縞みたいな地模様がうっすらと見えた。長い紐の両端には、かすかに桜色も残っている。

「着物と帯は、放火のあった日の朝からお染が身につけていたものに一致した。万作もおたまも覚えていた」

栗山の旦那は一呼吸を置くと、また北一の顔に目をあてる。

「お染の身体《からだ》には、切り傷、刺し傷の類《たぐ》いは見当たらない。打ち身や痣《あざ》もない。骨が折れているところや、身体の一部が陥没《かんぼつ》しているところもない。それから――」

検視の栗山は、迷いのない手つきで筵の一枚をめくった。両手の手首から先が、半分ぐらい重なり合う格好をして現れた。両手が同じ側に出てくるということは、筵の下で、お染の亡骸は少し身体をねじっているらしい。

「この手と指、爪《つめ》をよく見てみろ。何がわかるか」

北一は息を止め、お染の両手に顔を近づけた。爪は全て指に残っている。剝《は》げたり欠けたりしていない。指にも目立った傷はない。折れている様子もない。

「人は水に落ちて溺《おぼ》れかけると、必死で何かにつかまろうとする。また、無理矢理に水に沈められた場合には、自分を攻撃している人物の身体や、その人物が使っている道具――棒や竿《さお》や櫂《かい》などだな、それらのどこでもいいからひっつかみ、攻撃をやめさせようとする。あるいは、その人物や道具を遠ざけよう、押しのけようと抗《あらが》う」

そういう行動の痕跡《こんせき》が、指や爪や手のひらに残る。

「しかし、このお染の手と指はきれいだ。爪のあいだに挟《はさ》まっているのは、ごくわずかな泥や、大川の水のなかに浮いている藻《も》の類いだけだ」

これらの事実から、お染は誰かに攻撃され、水に落とされて溺れさせられたのではない、と考えられる。

「もう一つ、お染の肺腑《はいふ》のなかは川の水で満たされていた」

ちょうど胸元にあたりそうな筵の上に手を置いて、栗山の旦那は言った。

「これは、お染が川に入ったときにはまだ生きていたという証《あかし》だ」

死人は呼吸をしないので、水に落とされても肺腑に水が入らない。生きている者は、肺腑に水が入ると呼吸ができなくなる。これが「溺れる」ということで、やがて死に至る。

「つまり、お染は誰かに強《し》いられたのではなく、生きているうちに自《みずか》ら水に入り、溺れまいと抗うこともなく息が絶えた――と考えることができる」

北一はつい口を開いてものを言おうとして、番屋のなかに立ちこめている臭いにむせてしまった。

「慌《あわ》てるな。ゆっくり口で息をしろ」

栗山の旦那が言う。猛然《もうぜん》と咳《せ》き込む北一の背中を、沢井の若旦那が軽く叩《たた》いてくれた。

「だ、だ、誰かに追っかけられて、川に追い詰められて、どうしようもなくなって飛び込んだのかもしれねえ」

「その場合も、手足に何らかの傷が残る。お染は逃げようとしていたのであって、ただ水の深みにはまろうとしていたわけではないのだから、何かにつかまったり、沈んでしまったら足で川底を蹴《け》ったり、這《は》い上がれるところを探して指を立てたり、死力を尽くして抗ったはずだ。ならば、こんなつるりとした足をしているとは思えん」

水に入ればまず履《は》き物《もの》は脱《ぬ》げてしまうから、裸足《はだし》になる。お染が普段はいていた下駄《げた》が見つからないのは、不自然なことではない。

「だが、お染が入水《じゅすい》したことを念頭に、これから、深川元町の文庫屋から大川端《おおかわばた》までの堀割沿いや橋の下を丹念《たんねん》に探してゆけば、きちんとそろえられた下駄が一足見つかるだろうと、私は思う。あるいは、きちんとそろえられた女物の下駄を見つけて拾ったとか、捨てたとか、鼻緒《はなお》をすげ替えて自分が履いているとか話してくれる者が見つかるだろう」

入水する者は、なぜか必ず履き物を脱ぐ。たいていは几帳面《きちょうめん》にそろえて水辺《みずべ》に残してゆく。これまでの栗山周五郎の経験で、履き物を履いたままざぶざぶ入水死した例は一件もないという。

「お染も、どこかに下駄を残しているはずだ」

お染の死は、自死だった。

「この亡骸の傷みようから推《お》すと、深川元町の火事が起きたその日のうちに死んでいたと思われる」

「それは……放火した後に、ということでございますか」

北一は声を殺して問いかけた。放火という大罪をおかし、覚悟の死を選んだのか。

「お染が放火の下手人であるかどうか、それはまた別の観点から検証できる」

淡々と静かに、栗山周五郎は続ける。

「北一、お染の手首から先ではなく、腕のもう少し上の部分まで検《あらた》めてみろ」

筵をめくる。お染の左右の腕が現れる。もとは白かった腕。働き者の女中の腕。

「肘《ひじ》に近い、腕の内側を見てごらん。何か見つからないか」

言われてみて、気がついた。ごく小さな丸い斑点《はんてん》が散っている。

「黒子……じゃねえかな」

「お仲、お染の腕の内側に、そんな黒子はあったか」

栗山の旦那の問いかけに、旦那の背後にひっそりとうずくまっているお仲は、真夜中の寂しい幽霊《ゆうれい》のような囁《ささや》き声で答えた。

「ございません。色白の人でした。そんな胡麻《ごま》みたいな点々があったら、あたしはけっして忘れません」

言いながら、泣いている。なんで泣くんだい、お仲さん。

「北一、これは火傷《やけど》の痕《あと》だ」

お染が芥箱《ごみばこ》に火のついたものを投げ入れるとき、火の粉が散って本人の腕にも微少な火傷を負わせた。

「件《くだん》の芥箱は、焼けてしまったか打ち壊《こわ》されてしまったか、もう見つけようがないからの。推量するしかない。だが、紙くず買いの爺さんの話を聞くと、最初にぱっと燃え上がった火は爺さんの拳《こぶし》ほどあったそうだ。そしてたちまち燃え広がった。だとすると、お染はただ芥を丸めて燃やしただけではなく、油を一緒に使ったのではないか」

染み込ませたり、まき散らしたり。

「台所には菜種油《なたねあぶら》も魚油も置いてあったそうだから、調達は容易だ」

お染が火種《ひだね》となる芥に油を染み込ませ、火を点《つ》けたとき、あるいは火のついた種を芥箱に投げ入れるときに、勢いよく火花が散って、当人の腕に小さな火傷を負わせた。火を点ける前に、指や手のひらは注意して拭《ぬぐ》っても、腕の方までは気が回らなかった。

「もう一つ、その推量のもととなる痕跡がある。北一、足元の筵をめくってみろ」

栗山の旦那の指示に従い、北一は筵を剥《は》いだ。亡骸の両足が現れる。臑《すね》のなかほどからつま先まで。

「右足の甲に何かないか」

明かりの陰になって見えにくい。覚悟を決めて、北一は亡骸の足に触った。そっと動かしてみると、右足の甲の真ん中に、赤子《あかご》の爪ほどの大きさのシミみたいなものがある。

「それも火傷の痕だ」と、栗山周五郎は言う。「火を点けようとしているとき、油がお染の足の甲に滴《したた》った。当人が立ち止まっているとき滴ったから、滴りの跡が丸い形になった。そこへ火が燃え上がり、燃え移って丸い火傷を負わせた。その大きさだとかなり熱かったろうから、本人がすぐに消しただろうが、皮膚が焼けた痕は残ってしまったのだ」

　もうあと数日、亡骸が川の水のなかにあったら、肌《はだ》がすっかり腐《くさ》ってしまい、これくらいの度合いの火傷はわからなくなってしまっただろう。ぎりぎりのところだったという。

「お染は、確かに放火の罪をおかした」

　火あぶりの刑に処せられる大罪だ。

「その後、自ら入水して死を選んだ」

　火あぶりになる前に。ずっと親しくしてきた深川元町の人たちに恐れられ、後ろ指さされる前に。

　どこにも逃げていなかった。少しのあいだ身を隠すことはあったかもしれないが、その日のうちに水に入って死んでいた。だから、見つからなかったのだ。

「だけど……なんで放火なんか」

　北一は息が詰まり、喉が塞《ふさ》がった。お染はなぜ、人生の大半をすごしてきた文庫屋に放火したのか。千吉親分から受けた恩を裏切ったのか。思い出を焼き払おうとしたのか。

　死を覚悟し、腹をくくって。何をそれほど恨《うら》み、憎み、腹を立てていたのか。

「理由はいくつかあろうが、この検視で、そのうちの一つをはっきりさせることができる」

言って、栗山周五郎は戸板の中ほどに移動した。そこで膝をつくと、筵を剝ぐ。北一はとっさに目を背《そむ》けた。お染のへそのあたりの腹部があらわになったから。

「北一、お染の心を解《ほぐ》してやるためだ。臆《おく》するな」

何をしろっていうんだよ。

「手のひらを広げて、こうして……お染の腹を押してみるのだ」

栗山の旦那が、亡骸の鉛色《なまりいろ》の腹を押す。へその真下だ。湿《しめ》った音がする。

「やってみろ。やればわかる」

万作が、おたまが、お仲が、沢井の若旦那が北一を見つめている。

言われたとおりにしてみた。

北一はぎょっとして、はじかれたみたいに手を引っ込めてしまった。栗山の旦那の顔を見る。その厳しいまなざしに押されて、もう一度手のひらをお染の腹にあてる。

「何だ……これ」

小さめの握り飯みたいな塊《かたまり》がある。亡骸の皮膚はもうだぶだぶなのに、その塊にはまだいくらか弾力が残っていて、北一の手のひらを嫌《いや》な感じで押し返してくる。

「腫物《はれもの》だよ」と、検視の栗山は言った。「詳《くわ》しく知るには腑《ふ》分《わ》けをせねばならんが、仮に性質《たち》の悪いものではなくても、本人には痛みがあったはずだ。出血もあったろう。そのあたりのことは――」

栗山の旦那がおたまに目を向ける。万作に肩を抱かれ、ずっとうなだれて黙りこくっているおたま。今、その顔には血がのぼり、汗が滝のように流れている。

「おたま」

呼びかけて、沢井の若旦那が深いため息をついた。

「これでもまだ黙《だんま》りか」

懐手《ふところで》をして、首を振る。片目をつぶり、顔の半分だけで怖《こわ》いような笑《え》みを浮かべる。

「おまえには、まだ隠していることがある。白状しておらんことがある。青二才の私にも、それくらいはわかった。どれだけ番屋に留《と》め置こうと、脅《おど》したりすかしたり、拷問《ごうもん》にかけたところで、おまえが言いたくないことを聞き出すことはできないということもわかっていた」

若旦那が見習い同心の身分だったころ、千吉親分がよく言っていたのだそうだ。

――うちのおたまみたいなたまは、口を割らせるのが本当に難しい。追い詰められて嘘《うそ》はついても、言いたくねえことは絶対に言わねえ。けっして根性《こんじょう》が据わってるんじゃなくて、ただ曲がってるだけなんでござんすがね。それだけに始末が悪いんでござんすよ。

亭主にもたれかかり、いざこざのあった女中の腐りかけた亡骸を前に、胸が悪くなるような臭いが立ちこめる番屋のなかで、

――あの口つきだもの。

冬木町のおかみさんが言っていた、意固地《いこじ》なおたまの口つき。

――沢井の若旦那にはおわかりにならなかったろうけれど、あたしにはわかります。

おかみさん、親分が授《さず》けておいた知恵があって、若旦那にもおわかりになっていたようです。

おたまは、これでもかというほど深く口をへの字に曲げた。顔いっぱいの汗。への字のまま口を細く開いて、うめくような声で言った。

「お染は、自分はもう長く生きられないんだと申しておりました」

〈つづく〉

松《しょう》籟《らい》邸《てい》の隣人

第十六回

宮本昌孝

Miyamoto Masataka

第十四話

結《ゆい》の人《ひと》（前編）

「本年は三陸海嘯《さんりくかいしょう》各地水害の影響によりいづれの避暑地も寂寥《せきりょう》なるに、この地のみの比較的繁昌極《はんじょうきわ》め居《お》れり」（『東京朝日新聞』明治二十九年八月十三日）

海嘯とは、海が嘯《うそぶ》く、つまり海鳴りを伴《ともな》いながら高浪《たかなみ》が海岸へ打ち寄せる現象をさす。津浪のことだ。六月十五日に三陸を襲《おそ》った大津浪は、岩手・宮城・青森に甚《じん》大《だい》な被害をもたらした。また、七月下旬には関東・中部地方が豪雨に見舞われ、各地で洪水《こうずい》が頻発《ひんぱつ》し、東京も本所深川《ほんじょふかがわ》、日本橋、浅草一帯まで床上浸水《ゆかうえしんすい》の惨状《さんじょう》を呈している。

そういう中で、「この地のみ」は海水浴客と別荘族で連日賑《にぎ》わっていた。大磯《おおいそ》である。

陸蒸気《おかじょうき》が停車中の大磯駅では、大勢の客がぞろぞろと改札を通って、駅舎前の広場へ出てくる。団体客だ。かれらを出迎える楽隊の演奏は賑々《にぎにぎ》しく、各旅館の歓迎の旗も多数うち振られている。

いまでは夏休みに大磯で臨海学校を実施する学校も増えてきたので、旅館や貸座敷だけでは捌《さば》ききれず、大磯小学校まで宿泊施設として利用される。

駅前では、人力車《じんりきしや》や乗合《のりあい》馬車も大忙しだ。

わあっ、と自分の足で走り出す子らもいる。海水浴場は近いのだ。当時の新聞記事によれば、駅から「三丁程《さんちようほど》」で大磯の顔ともいえる海辺の禱龍館《とうりゆうかん》へ行き着き、その南側の一帯が照ヶ崎《てるがさき》海水浴場である。三丁は三百三十メートル弱だから、元気な子どもたちなら、あっというまの距離だろう。

団体客があらかた捌《は》けたところで、ようやく改札を出てきた一行がいる。三十人をこえる男女だが、いずれも身形《みなり》に些《いささ》かの乱れもなく、持ち物も上質とみえるものばかりである。上等車の客だったことは明らかだ。

わけても、余の者らに護《まも》られるようにして、ゆったりと歩をすすめる三人の女は、いずれも絣模様《かすりもよう》の上布《じようふ》の小袖《こそで》に絽《ろ》の夏帯という装《よそお》いが、涼《すず》しげで品が良い。高価ながら、麻《あさ》特有の皺《しわ》になりやすいのが上布の欠点だが、三人の小袖はまるで卸《おろし》立《た》てのようではないか。陸蒸気の客車の椅子《いす》に揺られてきただろうに、よほど所作《しょさ》と着こなしに隙《すき》がないのだと察せられる。

余の者らは、この三人の使用人だろう。出迎えた幾人かの男女も、清潔な和装である。

ご大家《たいけ》の令嬢《れいじょう》の一行とみて間違いない。

三人の令嬢はひとりずつ人力車に乗り、それぞれの左右に徒歩の警護者がつく。随行《ずいこう》の使用人たちは、上長らしき者らが二人乗りの俥《くるま》に、あとは乗合馬車に乗り込むか徒歩である。

「美女ばかりですな」

「おれはよ、先頭の俥で往《ゆ》かれた御方《おかた》がいちばんだ。ふくよかで、なんともお美しいねえ」

「いったい、どこのお姫さまたちかのう」

団体客歓迎の演奏を終えた楽隊の者らや、打ち水をする年寄りたちが、二号国道のほうへ向かう令嬢一行を見送りながら、井戸端《いどばた》会議ならぬ駅前会議を始めた。

打ち水の年寄りたちは、町の住人だが、頼まれもしないのにやっている。駅なら有名人をみられる機会が多いからだ。

「無礼《ぶれい》なことを申してはいかんぞ」

と駅員がひとり、寄ってきた。森田壮介《もりたそうすけ》といい、かれらの顔見知りである。

話好きの森田は、令嬢一行が何者であるか明かした。

「紀州《きしゅう》さまのご息女《そくじょ》たちである」

徳川御三家の旧紀州和歌山藩五十五万五千石の最後の藩主で、いまは貴族院議員の徳川茂承侯爵《もちつぐこうしゃく》がこの六月、大磯の高麗山南麓《こまやまなんろく》に土地と建物を購入し、別荘に改装したばかりなのだ。

「御名《おんな》を久子《ひさこ》さま、孝子《たかこ》さま、保子《やすこ》さまといわれる」

茂承の正室の伏見宮邦家《ふしみのみやくにいえ》親王第八王女・則子《のりこ》が二十代半ばの若さで卒《そつ》する前に産んだのが久子と孝子で、保子は妾腹《しょうふく》である。

前回までの あらすじ

吉田茂《しげる》は父・健三《けんぞう》が亡くなったため、若くして吉田家の当主になる。通っていた耕餘塾《こうよじゅく》を卒業し、東京の中学に入り直すことになった茂は、実父の竹内綱《つな》の屋敷に住み、学生生活を送っていた。夏休みになり、茂は母のいる大磯に戻り、外相・陸《む》奥《つ》宗光《むねみつ》が療養する聴漁荘《ちょうぎょそう》を訪ね、隣人で友人の天人《あまと》と陸奥宗光夫人・亮子《りょうこ》の馴《な》れ初《そ》めを聞く。翌年、尋常中学校を卒業した茂が再び大磯へ帰ると、天人が命を狙われ、ファミリーであるローダが何者かにより攫《さら》われるが、天人の機転で事なきを得る。

「あんたがいちばん美しいと思ったのは、長女の久子さま」

打ち水の年寄りのひとりへ、森田は言った。

「ご幼少の頃から美人と評判であったそうだ。いまでは跡取《あとと》りの若君の母親だがな」

これには駅前会議の面々は驚く。

「あれで子持ちとは……」

「わしは、まだ娘《むすめ》さんかと思うた」

ふつうに娘と言えば、乙女《おとめ》、若い女、未婚女性などをさす。

「いまもまた身籠《みご》もられているらしい」

「道理でふくよかなはずだ」

「ちくしょう、森田さん。久子さまを娶《めと》った仕合《しあわ》せ野郎《やろう》はどこのどいつです」

「口を慎《つつし》め」

「へえ、申し訳ねえ」

「久子さまのご夫君《ふくん》は、紀州家が御三卿《ごさんきょう》の田安《たやす》徳川家よりご養子に迎えた頼倫《よりみち》さまである」

こういう旧武家の事情に詳《くわ》しい駅員というのはめずらしくない。鉄道の開業当初、政府は従業員を重要な官員とみなして、華士族《かしぞく》を中心に採用したからである。

いまも士族出身者は多い。

「もっとも、旧紀州藩士たちはあまり喜んでいないと聞いておるが」

森田はちょっと声を落とした。

「それはまた、どういうことです。ご夫君も田安家といえば名家じゃありませんか」

「きっと久子さまに釣《つ》り合わねえ醜男《ぶおとこ》なんじゃねえのか」

想像を逞《たくま》しくした者の声が大きくなる。

「これ、無礼を申すなと言ったはずだぞ」

慌《あわ》てる森田である。

「だってよ、そこまで言われたら、こっちだって聞きてえじゃねえか」

すると、別の駅員から、森田に声がかけられた。

「油を売ってるんじゃない」

上司のようだ。

「ただいま参ります」

さらなる醜聞《しゅうぶん》の披露《ひろう》を期待した駅前会議の男どもは、残念そうに溜《た》め息《いき》を洩《も》らした。

きょうも大層な人だかりの照ヶ崎海水浴場では、老幼男女《ろうようなんにょ》が浜辺から海に向かって声援を送っている。

泳ぎ自慢が集《つど》って、遊泳《ゆうえい》競技会を開催中なのだ。ほかに祭礼やら花火大会やらの行事も、夏の大磯では恒例化《こうれいか》されつつある。

「亀ばかりじゃな」

汀《みぎわ》に腰を下ろして見物中の者が、ふんっ、と鼻を鳴らした。頭に濡《ぬ》らした布を巻き、横縞《よこじま》の海水浴着姿の榊原志果羽《さかきばらしらは》だ。

「田辺《たなべ》くんはけっこう速いですよ」

志果羽から二メートルくらい離れたところに腰を下ろす者は、双眼鏡に遊泳競技中の田辺広志《ひろし》の姿を捉《とら》えながら言った。褌《ふんどし》一枚に裾《すそ》の短い筒袖《つつそで》を着て、白いパナマ帽を被《かぶ》った茂《しげる》である。

「あたいなら、いまごろ、とうに一番で陸《おか》へ上がって、茶でも喫《きっ》しておるわ」

競技に参加してよいのは男だけなので、志果羽は憤懣《ふんまん》やるかたない。直心影流《じきしんかげりゅう》の剣法だけでなく、あらゆる武芸に長じ、水術も得手《えて》とする志果羽からみれば、眼前の海で競う男どもの泳ぎなど、まことに生《なま》ぬるいのだ。

「それより、あやつはどこにいる」

志果羽は茂を睨《にら》みつけた。あやつとは、天人《あまと》のことだ。

「大磯にはいると思いますよ。マイクがそう言ってましたから」

双眼鏡で広志の動きを追いつづけながら、茂はこたえる。

遊泳競技会が始まる前に、広志と連れ立って五色《ごしき》の小石荘《こいしそう》へ天人を誘《さそ》いに行ったのだが、いましがたお出かけになられたばかり、と家令《かれい》のマイクより聞いた。いつもの通り、天人の行き先までは知らないマイクだが、大磯の内外いずれかぐらいは、主人のようすから分かるのである。

「だから、大磯のどこじゃ」

「そんなに気になるんですか」

「茂っ」

「いいっ……痛いっ」

志果羽に首根っこを強く摑《つか》まれた茂は、ようやく双眼鏡から目を離す。が、首を固められてしまったので、横を向けない。

「お言葉ですが……」

「何じゃ。申してみよ」

「志果羽さんが前もって、手紙《ふみ》で大磯行きを天人に報《しら》せておけばよかったのではありませんか」

今朝《けさ》、この照ヶ崎海岸で、思いがけず志果羽に出くわした茂なのだ。逃げたかったが、目が合ってしまったので、やむをえず行を共にしている。志果羽は榊原道場の門弟たちと、浅草で水害に遭《あ》い困っている家々を、昼夜を問わずに回って救援し、どうにか落ち着いたところで、気分を変えるために海水浴にやってきたのだというう。


「手紙じゃと。なんで、あたいがそんな面倒《めんどう》なことをせねばならぬ」

「志果羽さん、小説、読まないんですか」

「おのれはまた、あたいの無学を嗤《わら》うつもりか」

「志果羽さんを嗤うなんて、ぼくがするわけないでしょう」

殴《なぐ》られたくありませんから、の一言は呑《の》み込んだ。

「小説って、恋物語が多いんです。で、たいていは面倒な話です」

「面倒なものか。最上級の魚だからと申して、あたいだって鯉《こい》ぐらい、食べたことはあるのじゃ」

「へっ……」

心底より驚き、呆《あき》れる茂だった。

いまの話の流れで、「恋」を「鯉」と思い込むなど、ありえない。それも、おとなの女が、である。

(このひと、どこまで初《うぶ》なんだろう)

乱暴者というだけでも怖《こわ》い志果羽なのに、別種の恐ろしさが加わって、茂は怯《おび》えた。

「なんじゃ、その目は。化《ば》け物でも見るような目ではないか」

「違います、違います」

咄嗟《とっさ》に双眼鏡をあてて、おのが目を隠した茂は、そのまま、なんとか上体をひねって、志果羽を見る。

「ふざけた真似《まね》をしおって」

「あっ……天人」

「その手にのるか」

「本当です。天人があそこに」

志果羽の肩ごしに、茂は双眼鏡を禱龍館のほうへ向けている。

「御覧になって下さい。禱龍館の二階の遠いほうの角部屋《かどべや》です」

双眼鏡を茂から、渡されるというより、押しつけられた志果羽は、立ち上がって、向きを変え、接眼レンズに両目をあてる。

拡大された禱龍館の庭や、館内で動く人々が見える。夏のことで、各部屋の窓は広く開放されているのだ。

茂に言われた角部屋に、男がふたり。

両人とも、欄干《らんかん》に手をついて、海を眺《なが》めながら談笑しており、奥に立つ長身が天人だった。いつもと変わらぬ白い洋装姿だ。

手前の寛《くつろ》いだ浴衣《ゆかた》姿は、六、七十歳ぐらいとおぼしい老人である。白いあごひげが立派だ。

小さく映る天人の笑顔に、暫《しば》し見とれるうち、にわかに志果羽のある記憶が蘇《よみがえ》った。

あらためて、あごひげの老人を注視する。

(佐佐木《ささき》伯爵では……)

志果羽の亡き祖父・榊原鍵吉《けんきち》は、奥義《おうぎ》を極《きわ》めた直心影流の剣技が、二度にわたって天覧《てんらん》の栄に浴《よく》している。二度目は明治十九年十一月十日、天皇の伏見宮邸《ふしみのみや》行幸《ぎょうこう》に際してのことで、このとき鍵吉の支度《したく》を手伝うため随従《ずいじゅう》した志果羽は、遠目《とおめ》に龍顔《りょうがん》を拝する仕合わせを得た。同時に、天皇の側近たちの顔も視界に入り、佇《たたず》まいが気になったひとがいたので、あとで鍵吉に訊《たず》ねた。

「あの御方《おかた》の体から剣気《けんき》が放たれていたように感じられたので……」

と志果羽が言うと、鍵吉は褒《ほ》めてくれた。

「そいつぁ、お前《めえ》の剣が上達してきた証《あかし》だよ。あのおひとは佐佐木高行《たかゆき》伯爵さ。若《わけ》えころは、小野派《おのは》一刀流と山鹿《やまが》流兵法をよく学ばれたそうだ。おれの剣を見て、久々に血を沸《わ》かせたんじゃねえか」

佐佐木高行は、土佐《とさ》藩の上士《じょうし》出身ながら、出生直前に父が病没したことで家禄《かろく》を大幅に減封《げんぽう》され、貧窮《ひんきゅう》の中で育ったが、刻苦勉励《こっくべんれい》して数々の重職を歴任し、藩政を担《にな》うまでになった。幕末に坂本龍馬《さかもとりょうま》、後藤象二郎《ごとうしょうじろう》らと大政奉還《たいせいほうかん》の建白《けんぱく》につい て協議し、戊辰《ぼしん》戦争では海援隊《かいえんたい》を率《ひき》いて長崎奉行所《ながさきぶぎょうしょ》接収を行うなどの勲功《くんこう》を樹《た》て、維新後も新政府で重きをなした。

貧しさに耐《た》えた若い頃の経験から、土佐の元郷士《ごうし》らに対して寛大《かんだい》だったので、かれらから好感をもたれ、西南《せいなん》戦争前に頻発《ひんぱつ》した士族叛乱《はんらん》のさいには帰郷《ききょう》して、不平士族や民権派の鎮撫《ちんぶ》につとめた。その後、一等侍補《じほ》として天皇に近侍《きんじ》するようになり、薩長閥《さっちょうばつ》政府に対しては批判的姿勢を貫き、天皇親政運動を進めて、内閣と対立する。

十年前の佐佐木高行は宮中顧問官《こもんかん》だった。以後の官職や業績について、志果羽は知らないものの、高行が維新の元勲《げんくん》であることは間違いないから、天人と結びつくなど想像し難《がた》い。

（天人シンプソン……本当に、あんたは何者なのじゃ）

ピンカートン探偵社から東京の探真社《たんしんしゃ》への書信に記《しる》されていたアメリカにおける天人の悪行《あくぎょう》はすべて、実はブラッド・キャシディという男がやったことである、といまでは志果羽は知っている。片瀬《かたせ》海岸殺人事件を解決して、五色の小石荘に一泊したとき、マイクが話してくれたのだ。天人は、非道の悪漢《あっかん》ではなく、正義の好漢だった。それは志果羽こそ実感している。

だから、きょう、茂に偶然会ったとき、その連れの広志が口を滑《すべ》らせた一件で、ふたりを怒鳴《どな》りつけてしまった。つい先頃、天人が命を狙《ねら》われたと聞いて、なぜあたいに助けを求めなかったのじゃ、と。天人の死を一瞬想像しただけで、胸が苦しくなったのだ。

ただ、怒鳴りつけられた茂が、なるほどそうなんだ、というような表情をしてみせたので、うろたえた志果羽は、その件についてはすぐに話を打ち切っている。

禱龍館へ行こう、と志果羽は思い立った。茂に誘われて仕方なくという態《てい》を装えばよい。

「茂」

志果羽は振り返った。が、居ない。

「あのくそがき、逃げおったな」

双眼鏡を砂浜に叩《たた》きつけようと、腕を振り上げた志果羽だが、思い止《とど》まって、二、三度深呼吸してから、レンズを再び天人のほうへ向けた。

「吉井《よしい》どのがお気に召したはずじゃ。まことに佳《よ》きところですな、大磯は」

光の躍《おど》る海を眺めながら、佐佐木高行が言った。

「松本《まつもと》先生のお話によれば、吉井さんは大磯におみえになっても日帰りで、それも幾度もなかったことだそうです」

と天人が応じる。

「さもあり申そう、ご多忙のまま逝《ゆ》かれましたからの」

薩摩《さつま》出身の吉井友実《ともざね》は、幕末に大久保利通《としみち》らと国事に奔走《ほんそう》し、王政復古の計画にも加わって、戊辰《ぼしん》戦争では藩兵を率いて東北各地に転戦した。維新後、幾度も侍《じ》講《こう》・侍補として天皇の側《そば》近くに仕《つか》え、元田永孚《もとだながざね》の君徳輔導《くんとくほどう》、天皇親政の考えに共鳴し、その運動をともに展開する。退官後は日本鉄道会社社長に就任《しゅうにん》し、叙爵《じょしゃく》して伯爵となってから官界に復帰すると、宮内大輔《くないのたいふ》として再び宮中に勤め、その質実な人柄で天皇に信頼された。

吉井友実と三歳下の佐佐木高行とは、政治思想も似ており、ともに天皇の近侍者として友情を育《はぐく》んだ。禱龍館設立の出資者のひとりでもある吉井から、いずれ大磯へ保養に参ろうと誘われていた高行だが、ついに実現しないまま、吉井が明治二十四年四月に病没《びょうぼつ》してしまった。

声をかけてから入ってきた女中が、座敷の中央に二人分の酒食の膳を整えて退《さ》がった。和食である。

高行が窓辺《まどべ》を離れて、一方の膳の前で胡座《あぐら》を組む。

対面する膳の前には、天人が端座《たんざ》した。

「よろしかったのですか」

高行の膳のほうへ手を差し伸べた天人である。禱龍館では和・洋食いずれでも用意できるのだ。

「吉井どのは融通無碍《ゆうずうむげ》だったが、わしはどうも、いまだに馴《な》れませぬのでな」

吐息《といき》をつく高行である。

「そうでしたね」

と天人は頷《うなず》く。

上《うわ》っ面《つら》だけの文明開化を批判する高行は、確《しか》と理解した上で西洋文明を取り入れるのはよいことだが、それで日本固有の制度や精神を蔑《ないがし》ろにしてはいけない、と常に主張してきた。だから、岩倉遣外使節団《いわくらけんがいしせつだん》の一員として欧米諸国を視察したさいには、アメリカに到着するやいなや、伊藤博文《ひろぶみ》が即座に和装から洋装に着替えて有頂天《うちょうてん》の振る舞いをするのを見て、怒り心頭《しんとう》に発した。当時は天皇が洋装を嫌悪《けんお》していたのだ。以来、高行は伊藤とは何かにつけて反《そ》りが合わない。

そういう日本人なので、食事においても、外国人を招く晩餐会《ばんさんかい》など、やむをえない場合を除いて洋食を口にしない高行だった。懐《ふところ》の深かった吉井は、そんなことは気にかけず、伊藤ともうまく付き合っていた。

天人が銚子《ちょうし》を持ち上げて差し出すと、高行は右手を上げて制する。

「手酌《てじゃく》でまいりましょうぞ」

「では、そのように」

それぞれに酒を満たした盃《さかずき》を、いったん掲《かか》げ合ってから、ひと息に飲み干した。

「将軍閣下《かっか》の御台《みだい》は幾歳《いくさい》に」

「七十歳に」

「ご息災《そくさい》にあられようか」

「はい。日本のことはいつも懐《なつ》かしがっています」

「嬉《うれ》しいことじゃ」

高行の言う〝御台〟とは、ジュリア・グラントをさす。第十八代アメリカ合衆国大統領ユリシーズ・シンプソン・グラントの未亡人である。大統領夫人への敬称としてファースト・レディが用いられるようになった最初の女性ともいわれる。

夫のグラントは、大統領時代でも一般には〝ジェネラル（将軍）・グラント〟と称《よ》ばれることが多かった。南北戦争で北軍総司令官をつとめ、アメリカを分断した最大の内戦を終結させた英雄の将軍だからである。武士の時代に生まれた高行にすれば、将軍の妻ならば御台所《みだいどころ》であり、略《まつと》して御台なのだ。

グラントは、大統領職を二期八年間全うした直後の一八七七年五月、ジュリアと長男のフレデリック・グラント大佐を伴って世界漫遊の船旅に出た。日本が西南戦争に激震《げきしん》していた明治十年のことである。

欧州の国々を経巡《へめぐ》り、清国《しんこく》も訪れてから、漫遊旅の一行を乗せた軍艦リッチモンド号が長崎に到着するのは、明治十二年六月二十一日。ここで、グラントは、天皇の名代《みようだい》である元伊予宇和島《いようわじま》藩主・伊達宗城《だてむねなり》や、駐米公使・吉田清成《きよなり》らの出迎えを受ける。吉田はグラントから大統領時代に知遇《ちぐう》を受けた旧友なので、日本政府の要請によって一時帰国し、その接遇にあたることになったのだ。以後、伊達、吉田の両名は、グラントの日本滞在中、常に付き添って、手厚くもてなしつづける。

リッチモンド号のグラントは、長崎をあとにすると、瀬戸内海の風光に魅了されながら、神戸を経由して、七月三日に横浜港へ入り、こんどは右大臣・岩倉具視《ともみ》、内務卿《きよう》・伊藤博文、海軍中将・榎本武揚《えのもとたけあき》、外務卿・寺島宗則《てらしまむねのり》らに歓迎された。寺島は、新政府の草創期の外交を主導した薩摩出身の英才で、英・独・仏の三ヶ国語に堪能《たんのう》だった。

グラントは、その日のうちに、特別列車に乗って、横浜よりノンストップで着いた新橋《しんばし》で馬車に乗り換え、東京滞在中の宿舎となる延遼館《えんりようかん》へ向かった。明治二十二年に取り壊《こわ》されるまでは浜離宮《はまりきゆう》の北門のあたりにあった延遼館は、鹿鳴館《ろくめいかん》と並び称された近代的な洋風石造り建築で、外務省所管の迎賓館《げいひんかん》だった。

グラントの天皇への謁見《えつけん》が行われたのは、翌《あく》る七月四日のことで、これは日本側の配慮である。アメリカの独立記念日なのだ。

「あのときの御前《ごぜん》での御台のお言葉とお姿は忘れられられませぬ」

しみじみと高行は言った。

これまで多くの国を訪れ、美しい場所もたくさん、たくさん見てきましたけれど、日本ほど美しく魅力に富んだ国なんて、ひとつもありませんでした、とジュリアは感に堪《た》えないように告げたのだ。

とても社交辞令とは疑われない正直さが、ジュリアのふくらかな体から漂《ただよ》っていた。血統を紀元前まで遡《さかのぼ》ることのできる天皇家を崇《あが》めるだけでなく、天皇の国である日本の風土も心より愛する高行や元田永孚にすれば、身を震《ふる》わせてしまうほどの感動だった。

「実は、何を語ったのか、当人はよく憶《おぼ》えていないそうなのです。あまりの暑さに、頭がぼうっとしていたらしくて」

日本特有の湿度がきわめて高い夏、それも真っ盛りの時季の滞在だったので、これればかりはグラントもジュリアも閉口《へいこう》したという。

「さようにござったか」

高行はちょっと笑った。

「しかし、なればこそ、ご本心と申すもの」

「それは間違いありません。当時の世界旅行では、随行の画家が各国でたくさんの風景、風俗を描きましたが、ジュリアは独《ひと》りになったあとも日本のそれらばかりを眺めていますから」

グラントの卒去《そつきょ》は、一八八五（明治十八）年七月二十三日である。

「御台はいまのわが国をどう思われているのでしょうな。亡きグラント将軍閣下《かっか》のご切言《せつげん》もご尽力《じんりょく》も、結局は軽視することになってしまい申したゆえ」

切言とは、心をこめて言う、厳しく言う、などの意だ。

「どの国にも、その国なりの事情というものがあります。他国の者が信じる理想も、その国では悪かもしれません。同じ国の内でさえ、アメリカの南北戦争で明らかなように、敵味方に分かれて殺し合いをするのですから。ハイアラム自身が、和平主義者なのに、一方の総司令官として多くの同胞を殺しました。これを、仕方のないことだった、と誰もが言います」

淡々と天人はそう語った。

グラントの幼名をハイアラムという。日本滞在中、天皇はグラントをハイアラム、グラントは天皇をサチと呼び合った。祐宮《さちのみや》が天皇の幼称である。それほど、両人は親しくなったのだ。

「では、御台も日清《にっしん》戦争は仕方のないことであった、と」

確かめるように言った高行だが、天人は、否《いな》、と小さく頭《かぶり》を振る。

「ハイアラムは、世界を旅した二年と数ヶ月の間に、各国の要人だけでなく、ふつうの人々ともよく触れ合いました。お国のためならば人を殺すことも自分が死ぬことも仕方がない、そんな愚《おろ》かな考えをかれらが決して抱《いだ》かないよう、すでに愚行《ぐこう》を冒《おか》してしまった者としての思いを伝えたかったのです。きっと贖罪《しょくざい》でもあったのでしょう」

ふつうの日本人のことを知りたい、とグラント夫妻が日本各地への旅を希望したことは、高行もよく憶えている。ただ、その年の夏はコレラが流行中で、長距離の移動や滞在地を変えることには危険を伴うため、夫妻の旅行先は日光《にっこう》が精々《せいぜい》だった。ほかには箱根《はこね》を束《つか》の間《ま》訪れたくらいである。

「ただ、そういう中でも、ハイアラムにとって日本は特別でした。日本だけには過《あやま》ちを犯してほしくない、自国の利益ばかりを優先して、清や朝鮮というアジアの同胞と殺し合いをしてほしくないと、とりわけ強く思ったのです」

「それほど帝《みかど》に心酔《しんすい》されたのですな」

「畏《おそ》れながら、帝もハイアラムの人柄《ひとがら》に魅了されたと、のちに有栖川宮《ありすがわのみや》様より伺《うかが》いました」

有栖川宮とは、陸海全軍の総参謀長として日清戦争に臨んだが、病魔に冒《おか》され、日本の勝利目前の頃に薨去《こうきょ》した熾仁《たるひと》親王のことである。

「グラント将軍閣下に対する帝の濃《こま》やかなご配慮の温かさは、近侍するわれらも感じており申した」

天皇は、練兵場で観兵式を挙行したが、そのときグラントを誘って、東京中の人々の衆目環視《しゅうもくかんし》の中、握手を交《か》わした。名代の皇族ではなく天皇みずから観兵式を行うだけでも大事件なのに、外国の将軍と共にするなど、白昼夢《はくちゅうむ》としか思われない出来事だった。式後、芝《しば》の離宮でも、天皇はグラントに傍《かたわ》らの席を与え、朝食も共にしている。

さらには、後日、天皇のほうからグラントに非公式の会見の意志を伝え、延遼館の東屋《あずまや》でふたりは語り合った。いま日本が抱《かか》える様々な問題について、互いに誠実さをもって意見を交換し合った会見は、二時間にも及んだ。在世中は現人神《あらひとがみ》と尊崇《そんすう》される天皇が、引退した無官の異人とこれほど親しく接するなど、日本史上に先例のないことと言わねばならない。

通訳は吉田清成がつとめたが、グラントに随従の長身の若者も時折、吉田でも精確に英訳しきれない日本語の微妙なニュアンスを伝えた。グラントの人となりや考え方などもよく知っているようだった。

天皇は、英語の意味は分からずとも、この若者の簡潔《かんけつ》な語り口や、間合《まあ》いの良さなどに感じ入ったのか、興味を持ったらしく、直答《じきとう》を許して下問《かもん》した。異例中の異例のことである。

「もしや日本人であるか」

「さようにございます」

「日本のどこの生まれか」

「存じませぬ。物心ついた頃には孤児にございました」

「では、親も知らぬのじゃな」

「はい」

「孤児が出るのは、政《まつりごと》の悪《あ》しき国である。赦《ゆる》せよ」

この綸言《りんげん》に、側近たちは大いに驚いた。綸言とは天皇の仰言《おおせごと》をいう。

確かに日本ではいつの世でも天皇は主上《しゅじょう》として存在してきたが、若者の親が悲惨《ひさん》な目に遭っていたとしても、それは幕藩時代の出来事だろう。御一新《ごいっしん》後の今上《きんじょう》には無関係である。関係があったところで、天皇が謝《あやま》ることでもなければ、謝る相手でもない。

だが、綸言汗《あせ》の如しという。天皇の口からいったん発せられた言葉は、いちど出た汗が再び体内に戻ることがないのと同じで、決して取り消せないのだ。

天皇の若者への言葉を、吉田から英訳して伝えられたグラントは、両手を握り合わせ、天を仰《あお》いで叫《さけ》んでしまった。感激のあまりの震え声で。

「グレート・マインド」

直訳すれば、偉大なる心、である。

グラントが何と言ったのか、皆に注目された吉田は咄嗟《とっさ》にこう訳した。

「これこそ大御心《おおみこころ》にあらせられる、と」

神や天皇の「心」を敬称して、「御心」という。「大」を付けるのは、至上の尊敬を表す。

宮内卿の徳大寺実則《とくだいじさねのり》が、グラントに向かって深々と頭を下げた。天皇という存在の意義をこれほど瞬時に理解してくれた外国人は初めてだったからだ。

清華家《せいがけ》の家格をもつ徳大寺実則は、最初に侍従長《じじゅうちょう》に任じられたのが明治四年のことで、いったん同職の廃止を経験するものの、明治十七年の改正復活後は、崩御《ほうぎょ》までつとめあげることになる。天皇の永《なが》きにわたる信任を受けた代表的侍従長といえる。

この瞬間、側近たちの誰もが、グラントを天皇が心より信じてよい唯一《ゆいいつ》の外国人と認めた。

そして、天皇の綸言には、これを受けた若者も強く胸をうたれたのだ。

「名は」

なおも天皇は若者に下問をつづけた。

「天人と申します」

「姓は」

「ただの天人にございます」

ここで口を挟んだのがグラントだった。

「シンプソン。天人シンプソン」

聞き違えたかと思ったのは、当の天人だけである。

「シンプソンという姓ならば、もしや将軍閣下のご養子にあられようか」

通訳の吉田がグラントに確かめた。

「帰国後に養子にするつもりでしたが、陛下のお国を天人が恨《うら》んではならぬゆえ、たったいま天人は親を得て、孤児ではなくなりました」

吉田を通じて、グラントは天皇にそのように告げたのだ。

「愛《め》で甚《いた》し、かな」

天皇は微笑《ほほえ》んだが、吉田は目を泳がせた。めでいたし、の意が分からなかったのだ。

「めでたしの古語にござる」

助け船を出したのは、当時は二等侍補ながら、天皇親政運動の先導者として同志らに一目置かれている元田永孚だった。もとは肥後《ひご》熊本藩で藩主の侍読《じどく》をつとめた儒学者《じゅがくしゃ》でもあり、古語にも精通していた。

「立派である、祝うべきことである。さように陛下は仰せです」

吉田の英訳に、グラントも満面を綻《ほころ》ばせた。

グラントに対しては、現人神ではなく、ひとりの人間として正直に接してくれた天皇である。その天皇の前で宣言したグラントにも嘘偽《うそいつわ》りがあろうはずはない。

「ジェネラル……」

言葉を詰まらせる天人だった。

「父親をジェネラルなんて呼ぶやつがあるか。ダッドだ。ハイアラムでもかまわんぞ」

あとで天人は聞かされるが、実は天人を養子にしたいと最初に口にしたのはジュリアだという。

天人との出会いも、グラントよりジュリアのほうが先だった。

実績をあげるためなら、追跡する犯罪者の関係者というだけで酷《むご》い目に遭わせることも辞さないピンカートン探偵社を、幻滅《げんめつ》して去ってから、天人はアメリカを流《る》浪《ろう》した。

働き口はなかった。というのも、天人を裏切り者とみなしたピンカートン探偵社が、各地の支社へ回状を送っていたからだ。支社の者らは、担当の町々で人手を欲している店や農場などに、この男を雇《やと》うな、と釘《くぎ》を刺してまわった。お尋《たず》ね者扱いである。たまに雇われることがあっても、すぐに露見《ろけん》し、馘首《かくしゅ》された。稼《かせ》ぐことのできない天人は、それでも決してひとを傷つけず、空腹は狩りの獲物《えもの》で充《み》たした。とはいえ、狩りがうまくいかないときは、飢《う》えて食べ物を盗むこともしばしばだった。

夏のある日、イリノイ州の北西端のガリーナというところで、ミシシッピ川の川辺に置かれた敷物の上に、幾つもの籠《かご》に入った食べ物を見つけた。川で泳いでいる女性たちのピクニックだと見当がついた。三日間も食べていなかった天人が、籠をひとつ奪って逃げようとしたそのとき、川から悲鳴があがった。

アリゲイターと称ばれる獰猛《どうもう》なワニが、ひとりの女性に迫っていたのだ。アメリカではおもに南部に棲息《せいそく》するアリゲイターがこのあたりに現われるのはめずらしいが、皆無《かいむ》というわけではない。

天人は、躊躇《ためら》いなく川へ飛び込み、その女性を抱えて岸へ泳ぎ着いた。ほかの女性らは自力で陸へ上がった。しかし、籠がひとつ、敷物から離れて転がり、サンドウィッチなどが散乱しているのを、彼女たちに見られてしまう。恥じた天人は、ソーリーと頭を下げてから走り去ろうと、急激に向きを変えた瞬間、眩暈《めまい》がして気を失った。空腹の極限だったのだ。

目覚《めざ》めた場所は、大きな屋敷の内である。当時現職のグラント大統領の邸宅で、自分が助けたのはファースト・レディとそのむすめたちだった、と天人は知る。

その日から、天人はジュリアの使用人として働くようになったのだ。

ジュリアは天人に、礼儀、言葉遣い、ひととの真摯《しんし》な接し方など、自身で躾《しつ》けられることはすべて躾け、多種多様の文化や学問の専門の教師まで付けた。天人は驚くほど飲み込みが早かった。

　働き者の上、何をやらせても見事にしてのける天人に、ジュリアだけでなく、グラントも、夫妻の子らも驚愕《きょうがく》し、この天涯《てんがい》孤独の日本人の若者がシンプソン家になくてはならない人間となるのに、さして時を要さなかった。グラントが世界旅行にさいして天人を随行させたのは、その証《あかし》といえた。

　世界旅行では当初から日本に寄港する予定だったから、事前にジュリアは天人に告げている。そのまま日本で暮らすのも、アメリカへ戻るのも、あなたの思うがままに、と。グラントもまた、日本に留《とど》まるのなら、必ず不自由のないように援助すると約束した。だが、このときには、ジュリアは天人を息子と思って愛しており、アメリカに戻ってくれたら養子にしたいと夫に打ち明けていたのだ。グラントにも夫妻の子らにも否やはなかった。

　そして、グラントのやむにやまれぬ勇《いさ》み足により、天皇の御前で天人シンプソンが誕生したのである。

「ハイアラム。天人との縁《えにし》を、日本と貴国との結《ゆい》といたそうぞ」

　と天皇は宣言した。

「結」の英訳は難しい。吉田は、ちょっと迷ってから、「アライアンス」とグラントに告げた。国家間の「同盟」の意だ。

天皇は日本と貴国と言ったが、自分とグラントという私的な繋《つな》がりが本意だろう、と天人は察した。現実に、政治を閣僚たちの手に委《ゆだ》ねさせられている天皇と、すでに大統領ではないグラントとでは、日米の国家間の同盟など結べない。

「わたしが申してよいのかどうか分かりませんが……」

前置きした上で、天人はあらためて綸言をグラントに説いた。

「農作業において互いに労力を惜《お》しまず助け合うことを〝結〟といいます。日本語のままがしっくりきます」

自然と農業を愛するグラントは、得たりとばかりに大きく頷《うなず》く。

「天人は、サチとこのハイアラムの〝ユイ〟」

そう言ってから、グラントは、おかしな発音ながら、何と言ったか皆が聞き取れる一語を発した。

「メデイタシ」

夏空へ上がった皆の笑いは、爽快《そうかい》なまでに明るい。

グラント前アメリカ合衆国大統領に、日本の今上とその側近たちのみという非公式会見の中で、天人シンプソンは〝結の人〟となった。


〈つづく〉

わたしのちょっと苦手なもの ⑦

地図帳の海

麻耶雄嵩（作家）

インターネットの普及で地図帳を開く機会がすっかり減ってしまったが、昔は地図が好きでよく眺《なが》めていた。旅先ではなくもっぱら自宅で。

ドライブするわけでもないのにマップルの道路地図を地方別に揃《そろ》えていたし、海外に行くわけでもないのに世界地図を広げていた。今と違って当時は観光名所や名産品に興味はなかったし、まだ見ぬ土地に思いを馳《は》せることもなかった。とにかく地図を眺めるのが好きだったとしか云《い》いようがない。

で、苦手なものだがそれは地図上の海。そして半島や岬《みさき》。

たとえば一ページに陸地が四分の一もなく、残りすべてが海の水色で覆《おお》われていたりすると、なんだか恐かった。見ていられなくて目を背《そむ》けるというより、じんわりと鳥肌が立つ感触。

もちろん現実の海や岬は好きで、室蘭《むろらん》の地球岬《ちきゅうみさき》で前面に広がる丸い水平線を見ても、犬吠埼《いぬぼうさき》の灯台に上って眼下に広がる太平洋を見渡しても、わくわくするだけで恐怖のひとかけらもない。遊覧船やフェリーも同じで、むしろデッキの手すりに寄りかかり海面を覗《のぞ》き込むくらい。しかしなぜだか地図だととたんに恐くなる。狭い部屋の中で広げた地図帳の海。それが一番ぞわっとくる。

ただグーグルマップのような電子地図だとそうでもない。すぐに陸地を拡大したり陸の方にスライドさせたりして安心できるからかもしれない。そのグーグルマップもサテライトビューにすると海溝の深さが濃度に出て、それはそれで恐い。まるで黒々とした海溝がじりじりと陸地に迫り来るよう。もしかすると恐怖の根は同じなのかも。

不思議なことに島はそれほど恐くなかったりする。佐渡島《さどがしま》や対馬《つしま》といった大きな島だけでなく、ページのほとんどが海しかない豆粒のような小笠原諸島《おがさわらしょとう》を見てもなんとも思わない。そもそも絶海の孤島はミステリ好きには大好物。

ところが島の端がページで見切れて岬や半島のように突き出していると、とたんに恐怖心がわいてくる。どうも地続きであるのが重要らしい。

とここまで無邪気に書いているけど、実はちゃんとした病名とかついていたらやだな。病院がちょっと苦手なので。

まや　ゆたか　１９６９年生まれ。京都大学工学部卒業。１９９１年に『翼ある闇　メルカトル鮎最後の事件』でデビュー。２０１１年、『隻眼の少女』で日本推理作家協会賞、本格ミステリ大賞をダブル受賞。２０１５年、『さよなら神様』で本格ミステリ大賞を再び受賞。

話題の**著者に聞く**
INTERVIEW 188

武川 佑

Takekawa Yu

具足に関する疑問を解き明かしていくことで生まれた物語です

取材・文＝細谷正充

武川佑《たけかわゆう》さんの新刊『真田の具足師《さなだのぐそくし》』が上梓《じょうし》された。

戦国時代、兵や大将が身に着ける甲冑《かっちゅう》をつくる職人が主人公の物語である。

この主人公、ただの職人ではない。徳川家康《いえやす》の命を受け、真田に潜入するという役目を負っているのだが、そこで待ち受けていた運命とは。作品に込めた思いをうかがった。

意外な形でのデビュー

——小説は昔から好きでしたか？

武川　学生時代、吉川英治《よしかわえいじ》の「三国志」は大好きで読んでいましたが、あとはミステリーばかり。それ以外の歴史小説というと、思いあたるのは芥川《あくたがわ》

『真田の具足師《ぐそくし》』
PHP研究所
定価：2,200円（10％税込）

たけかわ　ゆう
1981年、神奈川県生まれ。立教大学文学研究科博士課程前期課程（ドイツ文学専攻）修了。書店員、専門紙記者を経て、2016年、「鬼惑い」で第１回「決戦！ 小説大賞」奨励賞を受賞。17年、甲斐武田氏を描いた長編『虎の牙』でデビュー。同作で第７回歴史時代作家クラブ賞新人賞、21年、『千里をゆけ くじ引き将軍と隻腕女』で第10回日本歴史時代作家協会賞作品賞を受賞。その他の作品に、『落梅の賦』『かすてぼうろ』がある。

龍《りゅう》之《の》介《すけ》の王朝ものくらいでしょうか。

――西洋文学がご専門ですよね。

武川　ドイツ農民戦争や宗教改革、ワイマール共和国の社会史をやりたくて、大学も西洋史学科とドイツ文学科を受けました。日本の戦国時代のことは全然知らなかった。長篠《ながしの》の合戦と大坂の陣のどちらが先か、分らなかったくらいです。

――それがなぜ戦国小説を？

武川　書店員になって、コミックの棚担当になったんです。その頃、『信長協奏曲《コンチェルト》』が流行《はや》っていて、小栗旬《おぐりしゅん》さんと柴咲《しばさき》コウさんでドラマ化するというので、棚担当だし読んでおこうと。あれは現代の高校生がタイムスリップする話で、歴史を知らない人でも読める。羽柴秀吉の解釈も独特でした。

太閤《たいこう》さんってこんななの、というのが新鮮で。これなら、読めそうと思ったものの、当時の私は武田信玄《しんげん》と上杉謙信《けんしん》くらいしか知らなかったので、『センゴク』や『信長の忍び』など、戦国時代をテーマにした漫画をまず読みました。そして時代の流れを頭に入れてから歴史小説を読み始めたんです。

――それで書きたくなったんですね。

武川　漠然《ばくぜん》と小説を書いてみたいという想いがあり、二十代の頃にラノベの賞に引っかかって担当さんがついたことがありましたが、全然うまくいかなくて。当時のラノベは主人公も読む人も少年少女なんですが、私は脇役のおじさんを書くのが楽しかった。ボーイ・ミーツ・ガールには興味ないなあと思い、夢は実らず終わりました。

しばらく書くのをやめていましたが、歴史に嵌《は》まって、講談社さんが投稿募集をした「決戦シリーズ」は枚数が六十枚以内だったのと、テーマが川中島《かわなかじま》の山本勘助《かんすけ》という縛《しば》りだったので、これなら書けると。楽しく書いて満足して、次は長編の新人賞に応募しようくらいに思っていたら、講談社さんから長編書いてよと言われました。

――それで長編を書くことに。

武川　自信はなかったのですが、武田で書きたいという思いはありました。『センゴク』『信長の忍び』や大河ドラマの『風林火山』でも、武田はめちゃくちゃカッコいいじゃないですか。調べていくうちにどんどん好きになって。

　それで甲府《こうふ》に行ったんですが、海のない、山に囲まれた盆地というのが、すごく印象的でした。中央線で笹子《ささご》トンネルを抜けて、勝沼《かつぬま》に出たときに甲府盆地が一望できるんです。ミニチュアのような盆地に雲が点々と浮かんで、下に影が落ちていて、南アルプスが、ぱーっと見える。神奈川生まれの私にとっては、あまり見たことがない、極楽浄土《ごくらくじようど》のような景色でした。そこから川中島や駿河《するが》に険《けわ》しい山を越えて進軍していく武田軍の様子に思いを馳《は》せ、そのスケール感に圧倒されました。

職人を書いてみたかった

――最初の長篇の『虎の牙《きば》』ですが、主人公が意外な人物でした。

武川　私は主人公がちゃんとした武士ではない人ばかりを書いていますね。『落梅の賦《らくばいのふ》』も元武士のお坊さんですし、『千里をゆけ』と『かすてぼうろ』は女性です。武士でない人から武士の世界を描いてみたいんです。職人や僧侶、女性、マイノリティがいるといった実際にちかい混沌《こんとん》とした世を書いてみたい。武士が主人公の小説はみんな書いていますし、私にしか見えない景色があれば、それを書くべきだと思いました。今まで無視されてきた存在を掬《すく》い上げたいという欲があります。

――『真田の具足師』で具足師を採り上げたのは、やはり掬い上げるべきものだったのですか？

武川　職人はずっと書きたいと思っていたんです。何の職人を書くかとなったときに、具足師が一つ候補にありました。それと同時に、真田に対して苦手意識もあった。人気があり、パブリックイメージがある。その磁力《じりょく》に確実に引っ張られると思ったので、自分で書くとなると躊躇《ちゅうちょ》したんです。

——武田を書いてきて、その流れで真田を書いたのかと思いました。

武川　それは違うんです。真田はハードルが高すぎて二の足を踏むところがあって。何か切り口が見つかれば書けるだろうなとは思っていました。それで赤備《あかぞな》えをつくった職人。今回は具足師がうまく嵌まったかな。

——具足師に注目するようになったのは、いつ頃からですか？

武川　アンソロジー『家康がゆく』（PHP文芸文庫）に収録されている短編を書いたときに、具足師について調べました。この世界については、まったく分からなかったので、本当に大変でした。

——そこから掘り進めていった。

武川　この時代の兵にとっての具足って何だろうということにまず興味を惹《ひ》かれ、調べ始めました。書いていて分からないことがあると知りたくなる。刀剣には刀匠《とうしょう》の名が残っていますが、具足師はあまり銘《めい》を切らないので名が残っていない。なぜなんだろうと。

——岩井与左衛門《よざえもん》を主人公にした理由は。

武川　この時代ではほとんど唯一《ゆいいつ》、事績が分る人だからです。歯朶《しだ》具足をつくった人として知られています。

――展開が読めない話ですよね。

武川　この作品の裏テーマとして、親子じゃなくても、血が繋《つな》がってなくても、家族になれるよ、というのがある。武士の血統主義へのアンチテーゼとして、血の繋がりがなくても、技術、想《おも》いの伝承ができる。自分で選び取って、この人と一緒になりたいと思ったら、それが家族なんじゃないのと。

――一方で、真田の非情さが際立《きわだ》っています。

武川　お兄ちゃんの信幸《のぶゆき》がシビアな人になってしまったので、それは申し訳ないかな。お兄ちゃんにはお兄ちゃんなりの重い使命があったと思います。

真田信繁《のぶしげ》は戦国の生き証人

――印象的なのは織田源三郎《げんざぶろう》ですね。

武川　武田を書いていて、源三郎の存在を知り、気になっていました。織田家が出した人質としてずっと甲斐《かい》にいて、両親と離れて育てられて、武士の生まれなのに武将にもなれなくて。どういうアイデンティティを持っていたんだろうと考えていたんです。結果的に想像で補って書くしかなく、大胆なアレンジを加えてしまいました。

――真田のなかで、唯一、与左衛門側というか。

武川　そうですね。真田の中にいるけど、真田じゃない人。俯瞰《ふかん》する、異質な人をどうしても入れたくなっちゃうんです。源三郎はキャラクター設定を深く考えてなかったのですが、書き始めたら勝手に動いていきました。

――信繁の描き方も面白いです。

武川　信繁を書くのにはパターンがある。天才型か、弁《わきま》えている冷静論理派型かという。私は破天荒《はてんこう》な、天才肌として書きました。本書は真田の具足師の目から見た、戦国の終わりの物語です。それを書くにあたり、信繁は最適です。生き証人ではないですが、第一線に立っていた人なので。

戦国時代が終わり、平和な時代になって武士がどうなるのかは、テーマとして大きく意識していました。中世の自力救済で、侮辱《ぶじょく》されたら斬《き》る、という世界ではなくなった。自分の力で物事を解決していた武士が、それを駄目と言われ、幕府の管理下に置かれたときにどうなるのかと。

――具足を通じて戦争中は技術が発展していくことも表現しています。

武川　経済まで書けたらよかったんですが、難しくて。山本兼一《けんいち》さんがインタビュー記事で、『火天《かてん》の城』を書いたとき、調べるのに七年かかったと。職人やテクノクラート、工業とそれを取り巻く経済を書こうと思ったら、そういうスケールで考えないとだめなんだと思いました。今回、製鉄、商業圏、南蛮との関係など、書き残した部分がたくさんあります。

――戦国の有名な戦《いくさ》の裏で何が起き

ていたかを中心に描いていくことで、このサイズの物語にまとまったのでは。

武川　そうですね。小田原、第一次・第二次上田合戦、大坂の陣という戦を見せ場にしたからこれで収まったけど、本当は上下巻くらいで書いてみたかった（笑）。

――今後も戦国もの中心に書いていかれるのでしょうか。

武川　そうしたいと思います。なぜなら私が好きなので。調べるたびに、こんなことがあったのか、という発見がある。こんなテーマがあった、こんな人物がいた、というのが今も手に余るくらいあるので、ご依頼をいただける限りは書き続けたいです。

――西洋史を題材にした作品は考えてないのですか？

武川　書きたいですよ、ドイツ農民戦争を。でもご依頼がいただけないので（笑）。西洋史だと、やはり実績がある方でないと厳しいようで、私が書きたいと言っても、武川さんはしばらく戦国でと言われてしまうんです。ですので、戦国時代に軸足《じくあし》を置きつつ、徐々に守備範囲を広げられればと思います。

――この作品に関して、読者に一言いただければ。

武川　自分なら誰側につくのかを考えながら読むと楽しいかもしれません。家康側でもいいし、真田側だったら昌幸《まさゆき》なのか兄なのか弟なのか、与左衛門なのか。それを考えながら読むと、自分の価値基準が見えてくると思います。

ニシダ（ラランド）
Nishida

不器用な人たちへのシンパシーが原動力だった

取材・文＝末國善己／写真＝大島万由子

お笑いコンビ、ラランドのニシダさんが今回執筆した『不器用で』は、タイトルの通り、不器用に生きる人々の葛藤《かっとう》や心の動きを繊細に描いた短編集だ。

　地味な活動を続ける生物部、クラスメイトのいじめに加担する中学生、スーパー銭湯で働く女子大生、マッチングアプリにのめり込むアラサー男性、妻の不倫を疑う准教授……世代も性別も違うけれど、自分を取り巻く環境に戸惑い、悩み、上手く生きられない人々。そんな不器用な彼らのありのままの姿を、真摯《しんし》な筆致で描き切ったニシダさんに、執筆の背景や思いを伺った。

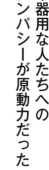

『不器用で』
KADOKAWA
定価：1,760円（10％税込）

1994年生まれ、山口県宇部市出身。2014年、サーヤとともにお笑いコンビ「ラランド」を結成。『不器用で』が初の著書となる。

締切のプレッシャーが……

――小説を書き始めた切っ掛けを教えてください。

ニシダ　読書は昔から好きでした。バラエティーでも読書芸人として取り上げていただくことが多く、それが縁《えん》で編集者の方に声をかけてもらったのが切っ掛けです。

――昔からお好きだったんですね。どんなものを読まれていましたか。

ニシダ　小学生の頃は「かいけつゾロリ」や「ハリー・ポッター」シリーズを読んでいました。中学生、高校生になると、いわゆる純文学っぽいものが好きになって、太宰治《だざいおさむ》などを読むようになりました。

——芸人をしながら小説を書くのは、大変ではなかったですか。

ニシダ　執筆時間を作るのが、難しかったです。基本的にお笑いの仕事が終わった後、深夜から明け方に書いていることが多かったですね。帰って朝五時まで書いて、お昼まで寝て、また仕事に行って……というサイクルでした。『不器用で』の収録作は雑誌に掲載していただいたんですが、二カ月に一回締切がくるんですよ。やっと書き終えたと思っても、あっという間に次の締切がきて……。プレッシャーも大きかったです。

——最初に発表された「アクアリウム」には、「シラス干しの袋の中から、シラス以外の生物を探す」活動をしている高校の生物部が出てきますが、この設定はどのように思い付かれたのですか。

ニシダ　パッとしない生物部にしたかったので、高校のホームページで部活の内容を検索して、その中から一番パッとしない活動を選びました(笑)。

——地味な生物部の何気ない日常を描いた作品かと思いきや、近くの海で釣った魚を解剖《かいぼう》して胃の中を調べ始めるシーンから思わぬ展開になるので、驚きました。

ニシダ　前に、漁師の方が捕《と》ったイカの中から驚くべき物が出てきたというニュースを見て、それが印象に残っていたので使ってみました。終盤《しゅうばん》はグロくなりますが、それも面白いかなと思っています。

自分ならどんな行動をするか、問い掛けながら書いた

――中学を舞台にした「遺影《いえい》」は、スクールカースト、いじめ、貧困などシリアスな問題が描かれていました。

ニシダ　「遺影」は二番目に書いた作品ですが、小学生の時に「貧しい」という理由だけでいじめられている同級生がいて、実体験を思い出しながら書きました。いじめている方も実はそんなに裕福《ゆうふく》な家庭の子ではなくて……。いじめる側といじめられる側の差がどこにあったのかを考えながら物語を広げていきました。

――確かに、貧しい主人公が、自分がいじめられないために、より貧しい女の子をいじめるところには、リアリティがありました。

ニシダ　書きながら、自分ならどんな行動をするか問い掛けていましたし、友達に話を聞いて、どのように書けばリアリティが出るかも考えました。

――「焼け石」は、アルバイトでスーパー銭湯の男湯のサウナマットを交換する女子大生が主人公ですが、女湯のマット交換なら違和感がないのに、それが男湯に変わるだけで少し変わった世界観になっていました。

ニシダ　サウナが好きなので行くのですが、この作品と同じように、若い女性が作業に入ってくることがあるんです。それで若い女性がどんな気持ちで男湯のサウナに入っているのかが、物語の出発点になりました。

――主人公には恋人がいますが、アルバイト先の新人のことが気になり始め、三人がどのような関係になるのかが物語を盛り上げていました。

ニシダ　主人公の彼氏は、ものすごく嫌な奴にしようと思っていたんです。大学生なのに既に就職先の「仕事」もしていて、女の子の気を引くために「エヴァ」の話をする描写をいれたら、いい感じに嫌な奴にできて満足です(笑)。

――「テトロドトキシン」の主人公は歯の治療をせず、マッチングアプリでワンナイトラブを楽しんだ女性の数を増やすことに生き甲斐《がい》を感じていますが、この設定はどこから出てきたのでしょうか。

ニシダ　マッチングアプリの話は、数字だけが生き甲斐の人を書こうと思って書きました。そういう人があまり好きではなくて。大人になると皆落ち着いて、どれだけモテたかとかって、もうあまり気にしなくなるんですよね。それなのに、主人公は数字へのこだわりを捨てられない。ちょっと悲しい人物として描きました。

――主人公は高校の頃の理想とは違う仕事に就いていて、はからずも高校の同窓会に参加して、それぞれの道に進んだ同級生たちとの価値観のぶつかり合いに直面します。中でも、大学院の国文科に進学して、趣味で辞書を作っている女性が印象に残っています。

ニシダ　二十代後半になると、家を買った人がいれば、仕事を辞めてフリーになった人もいてライフステージにバラつきが出てきます。自分も同世代なので、若くもなく、可能性も狭まる中で人生に迷っている登場人物に共感できました。辞書を作っている女性にはモデルがいるのですが、給料や他人の評価を気にせず、好きなことをやっている人には憧れを感じています。

――「濡れ鼠」は、大学の准教授が主人公で、かつて講義を担当したこともある年の離れた妻が、突然バーで働き始め不倫を疑う恋愛小説になっていました。ホッとできる着地点は、最終話を意識したからでしょうか。

ニシダ　書いている時は意識していませんでしたが、担当の方と本の収録順を相談していて、最後は少しいい話にしようという話は出ましたね。

読者が追体験できるような小説に

――書きやすかった作品、書き難かった作品はありますか。

ニシダ　すべての作品で締切を破ってしまったので……。書きやすかった作品はないかもしれないです。「遺影」「テトロドトキシン」は自分の経験が反映されていて、主人公の年齢が近いこともあり執筆時間は短かったです。「焼け石」は初めての女性主人公で難しかっただけに、完成した時は達成感があり、違和感がないと言ってもらえたのが嬉しかったです。

——ビターな話が多いですが、あえて笑いの要素を排除されたのですか。

ニシダ　テレビはお笑いが好きでしたが、小説は暗い雰囲気の方が好きだったので、意識してというより自然に笑いの要素が排除された感じです。

——ＹｏｕＴｕｂｅでニシダさんと又吉直樹さんの対談を拝見しましたが、又吉さんが描写の細かさを絶賛《ぜっさん》されていました。こだわったのでしょうか。

ニシダ　言葉にすると恥ずかしいですが(笑)、描写にはこだわりました。読者の目の前で起こっているような、それを追体験《ついたいけん》できるような小説を書きたいと考えていたので、描写を細かくしようというのはありました。

——収録の五作は、海辺の町や銭湯など水に関係のある場所が舞台になっていましたが、これは当初から考えられていたのでしょうか。

ニシダ　最初、各話の舞台を同じ街にするとまとまりがよくなると考えたのですが、途中でやめて、設定だけが残りました(笑)。ただ小学五年生から二十代前半まで住んでいたのが鎌倉周辺で、中高は藤沢だったので、海辺の雰囲気は想像しやすかったですね。

——収録作の主人公は年代が幅広く、性別も異なりますが、それぞれにリアリティがありました。なぜリアルな人間を作れたのでしょうか。

ニシダ　登場人物が比喩《ひゆ》的《てき》な表現を使う時は、学生が主人公ならその年代が使わないような言葉を出さないようにしました。「アクアリウム」で高校生の主人公が「学がない人たちが町工場でやるような作業」と言うシーンがあり、校正さんからは変えた方がいいと指摘されましたが、高校生ならではの残酷《ざんこく》さを出したくて残しました。こうした細部を積み重ねていったのが大きいと思っています。

――どの作品の主人公も、タイトル通り不器用で、生き辛さを感じていますが、それは不器用な人たちにシンパシーを感じているからでしょうか。

ニシダ　自分も器用ではないので、器用な人たちをうらやましく思いながらも腹立たしく感じています。だから不器用な人にシンパシーがあります。

――実際に小説を書いてみて、お笑いとの違いはありましたか。

ニシダ　小説は、これは面白くないとか、もっと別の書き方があるかもと考えながら進めていくので、勢いで進めるお笑いとは違う難しさでした。

――これからも小説を書いていきたいですか。

ニシダ　短編しか書いていないので、今度は長編に挑戦してみたいです。痛快な展開やどんでん返しよりは、人の気持ちの流れを書く方が好きなので、その路線は変わらないと思います。

推し本、語ります 2

物語の世界と私の世界が繋がる

南沢奈央（女優）

取材・文：友清 哲

私の推し本ということで、今回は今年に入ってから読んだ本の中から、とくに気になったものをご紹介してみたいと思います。

まずは、マギー・オファーレルの『ルクレツィアの肖像』から。

この作品は十六世紀のイタリアに実在した君主アルフォンソ二世の妻、ルクレツィアを題材にした物語です。ルクレツィアは結婚するも、一年経たずして十六歳という若さで急死。死因は病気とされたのですが、夫に毒殺されたという噂もありました。オファーレルは後世に残された一枚のルクレツィアの肖像画をヒントに、彼女の感情のゆらぎを掘り下げていきます。

ルクレツィアの生涯は、哀しくもミステリアスで、とにかくボリュームを感じさせない読み応えに満ちています。ラストにはあっと驚かされる結末が用意されているので、お楽しみに。

次は、斉藤倫《さいとうりん》さんの『ポエトリー・ドッグス』を。犬のマスターがいる不思議なバーが舞台で、その店を訪ねると、お酒と一緒にそれに合う詩をだしてくれるという、とても素敵な設定がまず目を引きます。私自身、お酒が大好きなので夜飲みながら読書をすることも多いのですが、詩を読む時間というのは、なんだか自分の内面と向き合っているようで、気持ちがととのうんです。詩集の入門編としても楽しい作品なのではないでしょうか。

続いては、junaidaさんの『の』という絵本をご紹介します。これは表紙を見てジャケ買いしたのが出会いでした。この作品では　たとえば、「お気に入りのコート」の、「ポケットの中」の、「お城」の——というようにページが進んでいき、「の」という一文字で様々な単語が数珠《じゅず》繋ぎになっていくのが、たまらなく楽しい作品です。思わず声に出して読みたくなるほどリズムも良くて、絵本は大人になってから読んでも、いろんな発見があるなと実感しました。

最後は、安部公房《あべこうぼう》の『人間そっくり』を。実は私、安部公房作品を読むのはこれが初めてだったのですが、友達に勧められて手にしてみたら、一気に虜《とりこ》になってしまいました。

ある日、主人公のところに火星人を自称する男がやってくるという物語なのですが、対話を続ける中で、それが単なる狂言なのか、あるいは本当に火星人なのか分からなくなってしまい、主人公が翻弄《ほんろう》されていく様子がとにかく面白い。ワンシチュエーションで展開する心理戦なので、「この作品を舞台でやったら面白そうだ

みなみさわ　なお　2006年に俳優活動をスタート。ドラマ、映画、舞台、CM、ラジオMC、執筆、書評などで活躍。初のエッセイ集『今日も寄席に行きたくなって』（新潮社）が11月1日発売。

な」と想像しながら楽しんでいました。

安部公房『人間そっくり』もそうですが、本を読んでいると物語の世界と日常生活が思わぬ形で繋がることがあり、読書によって人生をすごく充実させてもらっている気がします。新刊『今日も寄席に行きたくなって』も、元をたどれば佐藤《さとう》多佳《たか》子《こ》さんの『しゃべれどもしゃべれども』をきっかけに落語にのめり込んだことから生まれたエッセイです。

皆さんもぜひ、物語の世界からたっぷり良い刺激をもらってください。

『ルクレツィアの肖像』
マギー・オファーレル著／新潮クレストブックス
定価:3,080円

『ポエトリー・ドッグス』
斎藤 倫著／講談社
定価:1,760円

『の』
Junaida著／福音館書店
定価:2,200円

『人間そっくり』
安部公房著／新潮文庫
605円

※定価は税10%です。

PHP文芸文庫

「下鴨料亭味くらべ帖」シリーズ

柏井 壽 著

下鴨料亭味くらべ帖

料理の神様

京都の老舗料亭を継いだ
若女将のもとに、
突然料理人が現れた。
彼と現料理長が季節の
食材を巡り「料理対決」を
重ねていくのだが……。

下鴨料亭味くらべ帖2

魚の王様

旬の食材を用いた
新旧板長の料理対決を軸に、
亡き父の後を継いだ
若女将による
京都・老舗料亭の再建を描く
好評シリーズ第2弾。

文蔵

◆筆者紹介◆
11月号

あさのあつこ
54年岡山県生まれ。「バッテリー」シリーズで数々の賞を受賞。著書に、「おいち不思議がたり」「The MANZAI」「NO.6」「弥勒の月」シリーズ、などがある。

小路幸也《しょうじ ゆきや》
61年北海道生まれ。02年『空を見上げる古い歌を口ずさむ』で第29回メフィスト賞を受賞。著書に「東京バンドワゴン」「花咲小路」シリーズなど。

瀧羽麻子 たきわ　あさこ

81年兵庫県生まれ。２００７年『うさぎパン』でダ・ヴィンチ文学賞大賞を受賞し、デビュー。著書に『ありえないほどうるさいオルゴール店』『博士の長靴』など。

寺地はるな てらち　はるな

77年佐賀県生まれ。14年『ビオレタ』で第４回ポプラ社小説新人賞を受賞。著書に『川のほとりに立つ者は』『水を縫う』『ガラスの海を渡る舟』など。

西澤保彦 にしざわ　やすひこ

60年高知県生まれ。95年に『解体諸因』でデビュー。著書に『七回死んだ男』『パラレル・フィクショナル』、「匠千暁」「腕貫探偵」シリーズなど。

宮部みゆき みやべ　みゆき

60年東京生まれ。『理由』で直木賞を受賞。『〈完本〉初ものがたり』『あかんべえ』『ぼんくら』『桜ほうさら』『この世の春』『きたきた捕物帖』など著書多数。

宮本昌孝 みやもと　まさたか

55年静岡県生まれ。『天離り果つる国』で、『この時代小説がすごい！　22年版』の単行本部門第一位を獲得。著書に、『剣豪将軍義輝』『ふたり道三』『風魔』など。

村山早紀 むらやま　さき

63年長崎県生まれ。『ちいさいえりちゃん』で毎日童話新人賞最優秀賞、椋鳩十児童文学賞を受賞。代表作に「コンビニたそがれ堂」「桜風堂ものがたり」シリーズなど。

文蔵◆バックナンバー紹介

Vol.194 2022年10月
〈特集〉いま読み始めたい文庫シリーズ小説

Vol.195 2022年11月
〈特集〉図書館、博物館小説で文化を味わう
●新連載小説 福澤徹三「恐室 冥國大學オカルト研究会活動日誌」(〜2023・7・8)

Vol.196 2022年12月
〈特集〉山口恵以子デビュー十五年の軌跡
●新連載小説 小路幸也「すべての神様の十月㊂」(〜2023・11)

Vol.197 2023年1・2月
〈ブックガイド〉新世代のミステリー作家に大注目

Vol.198 2023年3月
〈特集〉「建物」が生み出す物語
●新連載小説 西澤保彦「彼女は逃げ切れなかった」
●新連載エッセイ わたしのちょっと苦手なもの

Vol.199 2023年4月
〈特集〉二刀流作家の小説が面白い

Vol.200 2023年5月
〈特集〉あさのあつこ その作品世界の魅力

Vol.201 2023年6月
〈特集〉時代を映す「青春小説」
●新連載小説 瀧羽麻子「さよなら校長先生」

Vol.202 2023年7・8月
〈特集〉ジョブチェンジ小説で未来を拓け
●新連載小説 村山早紀「桜風堂夢ものがたり2」

Vol.203 2023年9月
〈特集〉竹宮ゆゆこ作品の魅力に迫る
●新連載小説 あさのあつこ「おいち不思議がたり」
寺地はるな「世界はきみが思うより」

Vol.204 2023年10月
〈特集〉「スパイ・国際謀略」小説
●新連載インタビュー 推し本、語ります

※創刊号(2005年10月)〜Vol.172(2020年7・8月)は品切です。

目次は文蔵HP[https://www.php.co.jp/bunzo/]でご覧いただけます。

ＰＨＰ文芸文庫　文蔵 2023. 11

2023年10月31日　発行

編　　者　「文蔵」編集部
発 行 者　永田貴之
発 行 所　株式会社ＰＨＰ研究所
東 京 本 部　〒135-8137　江東区豊洲5-6-52
文化事業部　☎03-3520-9620(編集)
普及部　☎03-3520-9630(販売)
京 都 本 部　〒601-8411　京都市南区西九条北ノ内町11
PHP INTERFACE　https://www.php.co.jp/
制作協力
組　　版　朝日メディアインターナショナル株式会社
印 刷 所
製 本 所　図書印刷株式会社

ISBN978-4-569-90354-5